Pierre Corneille

Le Cid

Dossier réalisé par
Dorian Astor

Lecture d'image par
Valérie Lagier

Dorian Astor est ancien élève de l'École normale supérieure et agrégé d'allemand. Il a enseigné la germanistique à l'Université Paris III-Sorbonne Nouvelle et la littérature française à l'Institut culturel français des Pays-Bas. Il prépare actuellement une thèse de doctorat sur la tragédie au XVIIe siècle. Par ailleurs musicien et chanteur, il est interprète du répertoire vocal baroque.

Conservateur au musée de Grenoble puis au musée des Beaux-Arts de Rennes, **Valérie Lagier** a organisé de nombreuses expositions d'art moderne et contemporain. Elle a créé, à Rennes, un service éducatif très innovant, et assuré de nombreuses formations d'histoire de l'art pour les enseignants et les étudiants. Elle est l'auteur de plusieurs publications scientifiques et pédagogiques. Elle est actuellement adjointe à la directrice des études de l'Institut national du Patrimoine à Paris.

Sommaire

Le Cid

Tragi-comédie

À *Madame de Combalet*

Madame,

Ce portrait vivant que je vous offre représente un héros assez reconnaissable aux lauriers dont il est couvert. Sa vie a été une suite continuelle de victoires, son corps porté dans son armée a gagné des batailles après sa mort et son nom au bout de six cents ans vient encore de triompher en France. Il y a trouvé une réception trop favorable pour se repentir d'être sorti de son pays, et d'avoir appris à parler une autre langue que la sienne. Ce succès a passé mes plus ambitieuses espérances, et m'a surpris d'abord, mais il a cessé de m'étonner depuis que j'ai vu la satisfaction que vous avez témoignée quand il a paru devant vous ; alors j'ai osé me promettre de lui tout ce qui en est arrivé, et j'ai cru qu'après les éloges dont vous l'avez honoré, cet applaudissement universel ne lui pouvait manquer. Et véritablement, Madame, on ne peut douter avec raison de ce que vaut une chose qui a le bonheur de vous plaire : le jugement que vous en faites est la marque assurée de son prix ; et comme vous donnez toujours libéralement aux véritables beautés l'estime qu'elles méritent, les fausses n'ont jamais le pouvoir de vous éblouir. Mais votre générosité ne s'arrête pas à des louanges stériles pour les ouvrages qui vous agréent, elle prend plaisir à s'étendre utilement sur ceux qui les produisent, et ne dédaigne point d'employer en leur faveur ce grand crédit que votre qualité et vos vertus vous ont acquis. J'en ai ressenti des effets qui me sont trop avantageux pour m'en taire, et je ne vous dois pas moins de remerciements pour moi que pour *Le Cid*. C'est une reconnaissance qui m'est glorieuse puisqu'il m'est impossible de publier que je vous ai de grandes obligations, sans publier en même temps que vous m'avez assez estimé pour vouloir que je vous en eusse. Aussi, Madame, si je souhaite quelque durée pour cet heureux effort de ma plume, ce n'est point pour apprendre mon nom à la postérité, mais seulement pour laisser des marques éternelles de ce que je vous dois, et faire lire à ceux qui naîtront dans les autres siècles la protestation que je fais d'être toute ma vie,

MADAME,

Votre très humble, très obéissant
et très obligé serviteur,
CORNEILLE.

ACTEURS

DON FERNAND, *premier Roi de Castille.*
DOÑA URRAQUE, *Infante de Castille.*
DON DIÈGUE, *père de don Rodrigue.*
DON GOMÈS, *Comte de Gormas, père de Chimène.*
DON RODRIGUE, *fils de don Diègue et Amant de Chimène.*
DON SANCHE, *amoureux de Chimène.*
DON ARIAS, } *Gentilshommes castillans.*
DON ALONSE, }
CHIMÈNE, *maîtresse de don Rodrigue et de don Sanche.*
LÉONOR, *Gouvernante de l'Infante.*
ELVIRE, *suivante de Chimène.*
Un Page de l'Infante.

La scène est à Séville.

Acte I

Scène I

LE COMTE, ELVIRE

ELVIRE

Entre tous ces amants[1] dont la jeune ferveur
Adore votre fille, et brigue ma faveur,
Don Rodrigue et Don Sanche à l'envi font paraître
Le beau feu[2] qu'en leurs cœurs ses beautés ont fait naître,
5 Ce n'est pas que Chimène écoute leurs soupirs,
Ou d'un regard propice anime leurs désirs,
Au contraire pour tous dedans l'indifférence
Elle n'ôte à pas un, ni donne d'espérance,
Et sans les voir d'un œil trop sévère, ou trop doux,
10 C'est de votre seul choix qu'elle attend un époux.

LE COMTE

Elle est dans le devoir, tous deux sont dignes d'elle,
Tous deux formés d'un sang, noble, vaillant, fidèle,

1. Personnes qui s'aiment (voir lexique p. 152).
2. Amour (voir lexique).

Jeunes, mais qui font lire aisément dans leurs yeux
L'éclatante vertu de leurs braves aïeux.
15 Don Rodrigue surtout n'a trait en son visage
Qui d'un homme de cœur[1] ne soit la haute image,
Et sort d'une maison[2] si féconde en guerriers
Qu'ils y prennent naissance au milieu des lauriers.
La valeur de son père, en son temps sans pareille,
20 Tant qu'a duré sa force a passé pour merveille,
Ses rides sur son front ont gravé ses exploits,
Et nous disent encor ce qu'il fut autrefois :
Je me promets du fils ce que j'ai vu du père,
Et ma fille en un mot peut l'aimer et me plaire.
25 Va l'en entretenir, mais dans cet entretien,
Cache mon sentiment et découvre le sien,
Je veux qu'à mon retour nous en parlions ensemble ;
L'heure à présent m'appelle au conseil qui s'assemble,
Le Roi doit à son fils choisir un Gouverneur[3],
30 Ou plutôt m'élever à ce haut rang d'honneur,
Ce que pour lui mon bras[4] chaque jour exécute
Me défend de penser qu'aucun me le dispute.

Scène 2

CHIMÈNE, ELVIRE

ELVIRE, *seule.*

Quelle douce nouvelle à ces jeunes amants !
Et que tout se dispose à leurs contentements !

---

1. Courage, valeur (voir lexique).
2. Lignée, famille.
3. Précepteur, éducateur.
4. Bras armé, valeur guerrière (voir lexique).

CHIMÈNE

35 Eh bien, Elvire, enfin, que faut-il que j'espère ?
Que dois-je devenir, et que t'a dit mon père ?

ELVIRE

Deux mots dont tous vos sens doivent être charmés[1],
Il estime Rodrigue autant que vous l'aimez.

CHIMÈNE

L'excès de ce bonheur me met en défiance,
40 Puis-je à de tels discours donner quelque croyance ?

ELVIRE

Il passe bien plus outre, il approuve ses feux,
Et vous doit commander de répondre à ses vœux.
Jugez après cela puisque tantôt son père
Au sortir du Conseil doit proposer l'affaire,
45 S'il pouvait avoir lieu de mieux prendre son temps,
Et si tous vos désirs seront bientôt contents.

CHIMÈNE

Il semble toutefois que mon âme troublée
Refuse cette joie, et s'en trouve accablée,
Un moment donne au sort des visages divers,
50 Et dans ce grand bonheur je crains un grand revers.

ELVIRE

Vous verrez votre crainte heureusement déçue[2].

CHIMÈNE

Allons, quoi qu'il en soit, en attendre l'issue.

---

1. Prisonniers d'un charme magique (voir lexique).
2. Trompée (voir lexique).

Scène 3

L'INFANTE, LÉONOR, PAGE

L'INFANTE, *au Page.*

Va-t'en trouver Chimène, et lui dis de ma part
Qu'aujourd'hui pour me voir elle attend un peu tard,
55 Et que mon amitié se plaint de sa paresse.

Le Page rentre[1].

LÉONOR

Madame, chaque jour même désir vous presse,
Et je vous vois pensive et triste chaque jour
L'informer avec soin comme va son amour.

L'INFANTE

J'en dois bien avoir soin, je l'ai presque forcée
60 À recevoir les coups dont son âme est blessée,
Elle aime Don Rodrigue et le tient de ma main,
Et par moi Don Rodrigue a vaincu son dédain,
Ainsi de ces amants ayant formé les chaînes,
Je dois prendre intérêt à la fin de leurs peines.

LÉONOR

65 Madame, toutefois parmi leurs bons succès,
On vous voit un chagrin qui va jusqu'à l'excès.
Cet amour qui tous deux les comble d'allégresse
Fait-il de ce grand cœur la profonde tristesse ?
Et ce grand intérêt que vous prenez pour eux

1. Rentre dans les coulisses, c'est-à-dire : sort.

70 Vous rend-il malheureuse alors qu'ils sont heureux ?
Mais je vais trop avant, et deviens indiscrète.

L'INFANTE

Ma tristesse redouble à la tenir secrète.
Écoute, écoute enfin comme j'ai combattu,
Et plaignant ma faiblesse admire ma vertu.
75 L'amour est un tyran qui n'épargne personne,
Ce jeune Chevalier, cet amant que je donne,
Je l'aime.

LÉONOR

Vous l'aimez !

L'INFANTE

Mets la main sur mon cœur,
Et vois comme il se trouble au nom de son vainqueur,
Comme il le reconnaît.

LÉONOR

Pardonnez-moi, Madame,
80 Si je sors du respect pour blâmer cette flamme.
Choisir pour votre amant un simple Chevalier !
Une grande Princesse à ce point s'oublier !
Et que dira le Roi ? que dira la Castille ?
Vous souvenez-vous bien de qui vous êtes fille !

L'INFANTE

85 Oui, oui, je m'en souviens, et j'épandrai mon sang
Plutôt que de rien faire indigne de mon rang.
Je te répondrais bien que dans les belles âmes
Le seul mérite a droit de produire des flammes,
Et si ma passion cherchait à s'excuser,
90 Mille exemples fameux pourraient l'autoriser.

Mais je n'en veux point suivre où ma gloire s'engage,
Si j'ai beaucoup d'amour, j'ai bien plus de courage,
Un noble orgueil m'apprend qu'étant fille de Roi
Tout autre qu'un Monarque est indigne de moi.
95 Quand je vis que mon cœur ne se pouvait défendre,
Moi-même je donnai ce que je n'osais prendre,
Je mis au lieu de moi Chimène en ses liens,
Et j'allumai leurs feux pour éteindre les miens.
Ne t'étonne donc plus si mon âme gênée[1]
100 Avec impatience attend leur hyménée[2],
Tu vois que mon repos en dépend aujourd'hui :
Si l'amour vit d'espoir, il meurt avecque[3] lui,
C'est un feu qui s'éteint faute de nourriture,
Et malgré la rigueur de ma triste[4] aventure
105 Si Chimène a jamais Rodrigue pour mari
Mon espérance est morte, et mon esprit guéri.
Je souffre cependant un tourment incroyable,
Jusques à cet hymen[5] Rodrigue m'est aimable,
Je travaille à le perdre, et le perds à regret,
110 Et de là prend son cours mon déplaisir[6] secret.
Je suis au désespoir que l'amour me contraigne
À pousser des soupirs pour ce que je dédaigne,
Je sens en deux partis mon esprit divisé,
Si mon courage est haut, mon cœur est embrasé :
115 Cet hymen m'est fatal, je le crains, et souhaite,
Je ne m'en promets rien qu'une joie imparfaite,
Ma gloire et mon amour ont tous deux tant d'appas
Que je meurs s'il s'achève, et ne s'achève pas.

1. Torturée.
2. Mariage (sens poétique).
3. Avec (pour l'alexandrin).
4. Funeste (voir lexique).
5. Mariage, amour conjugal (voir lexique).
6. Chagrin (voir lexique).

LÉONOR

Madame, après cela je n'ai rien à vous dire,
120 Sinon que de vos maux avec vous je soupire :
Je vous blâmais tantôt, je vous plains à présent.
Mais puisque dans un mal si doux et si cuisant
Votre vertu combat et son charme et sa force,
En repousse l'assaut, en rejette l'amorce[1],
125 Elle rendra le calme à vos esprits flottants.
Espérez donc tout d'elle, et du secours du temps,
Espérez tout du Ciel, il a trop de justice
Pour souffrir la vertu si longtemps au supplice.

L'INFANTE

Ma plus douce espérance est de perdre l'espoir.

LE PAGE

130 Par vos commandements Chimène vous vient voir.

L'INFANTE

Allez l'entretenir en cette galerie.

LÉONOR

Voulez-vous demeurer dedans la rêverie ?

L'INFANTE

Non, je veux seulement, malgré mon déplaisir,
Remettre mon visage un peu plus à loisir.
135 Je vous suis. Juste Ciel, d'où j'attends mon remède,
Mets enfin quelque borne au mal qui me possède,
Assure mon repos, assure mon honneur,
Dans le bonheur d'autrui je cherche mon bonheur,
Cet hyménée à trois également importe,

1. Séduction.

140 Rends son effet plus prompt, ou mon âme plus forte,
D'un lien conjugal joindre ces deux amants,
C'est briser tous mes fers et finir mes tourments.
Mais je tarde un peu trop, allons trouver Chimène,
Et par son entretien soulager notre peine.

Scène 4

LE COMTE, DON DIÈGUE

LE COMTE

145 Enfin vous l'emportez, et la faveur du Roi
Vous élève en un rang qui n'était dû qu'à moi,
Il vous fait Gouverneur du Prince de Castille.

DON DIÈGUE

Cette marque d'honneur qu'il met dans ma famille
Montre à tous qu'il est juste, et fait connaître assez
150 Qu'il sait récompenser les services passés.

LE COMTE

Pour grands que soient les Rois, ils sont ce que nous sommes,
Ils peuvent se tromper comme les autres hommes,
Et ce choix sert de preuve à tous les Courtisans
Qu'ils savent mal payer les services présents.

DON DIÈGUE

155 Ne parlons plus d'un choix dont votre esprit s'irrite,
La faveur l'a pu faire autant que le mérite;
Vous choisissant peut-être on eût pu mieux choisir,
Mais le Roi m'a trouvé plus propre à son désir.

À l'honneur qu'il m'a fait ajoutez-en un autre,
160 Joignons d'un sacré nœud ma maison à la vôtre,
Rodrigue aime Chimène, et ce digne sujet
De ses affections est le plus cher objet :
Consentez-y, Monsieur, et l'acceptez pour gendre.

LE COMTE

À de plus hauts partis Rodrigue doit prétendre,
165 Et le nouvel éclat de votre dignité
Lui doit bien mettre au cœur une autre vanité.
Exercez-la, Monsieur, et gouvernez le Prince,
Montrez-lui comme il faut régir une Province,
Faire trembler partout les peuples sous sa loi,
170 Remplir les bons d'amour, et les méchants d'effroi :
Joignez à ces vertus celles d'un Capitaine,
Montrez-lui comme il faut s'endurcir à la peine,
Dans le métier de Mars[1] se rendre sans égal,
Passer les jours entiers et les nuits à cheval,
175 Reposer tout armé, forcer une muraille,
Et ne devoir qu'à soi le gain d'une bataille.
Instruisez-le d'exemple, et vous ressouvenez
Qu'il faut faire à ses yeux ce que vous enseignez.

DON DIÈGUE

Pour s'instruire d'exemple, en dépit de l'envie,
180 Il lira seulement l'histoire de ma vie :
Là dans un long tissu de belles actions
Il verra comme il faut dompter des nations,
Attaquer une place, ordonner une armée,
Et sur de grands exploits bâtir sa renommée.

1. La guerre (Mars est le dieu romain de la guerre).

LE COMTE

185 Les exemples vivants ont bien plus de pouvoir,
Un Prince dans un livre apprend mal son devoir ;
Et qu'a fait après tout ce grand nombre d'années
Que ne puisse égaler une de mes journées ?
Si vous fûtes vaillant, je le suis aujourd'hui,
190 Et ce bras du Royaume est le plus ferme appui ;
Grenade et l'Aragon tremblent quand ce fer brille,
Mon nom sert de rempart à toute la Castille,
Sans moi vous passeriez bientôt sous d'autres lois,
Et si vous ne m'aviez, vous n'auriez plus de Rois.
195 Chaque jour, chaque instant, entasse pour ma gloire
Laurier dessus laurier, victoire sur victoire :
Le Prince, pour essai de générosité,
Gagnerait des combats marchant à mon côté,
Loin des froides leçons qu'à mon bras on préfère,
200 Il apprendrait à vaincre en me regardant faire.

DON DIÈGUE

Vous me parlez en vain de ce que je connoi [1],
Je vous ai vu combattre et commander sous moi :
Quand l'âge dans mes nerfs a fait couler sa glace
Votre rare valeur a bien rempli ma place,
205 Enfin pour épargner les discours superflus
Vous êtes aujourd'hui ce qu'autrefois je fus.
Vous voyez toutefois qu'en cette concurrence
Un Monarque entre nous met de la différence.

LE COMTE

Ce que je méritais, vous l'avez emporté.

---

1. Orthographe fréquente au XVIIe siècle ; peut ainsi rimer avec le vers suivant.

DON DIÈGUE

210 Qui l'a gagné sur vous, l'avait mieux mérité.

LE COMTE

Qui peut mieux l'exercer, en est bien le plus digne.

DON DIÈGUE

En être refusé n'en est pas un bon signe.

LE COMTE

Vous l'avez eu par brigue[1] étant vieux Courtisan.

DON DIÈGUE

L'éclat de mes hauts faits fut mon seul partisan.

LE COMTE

215 Parlons-en mieux, le Roi fait honneur à votre âge.

DON DIÈGUE

Le Roi, quand il en fait, le mesure au courage.

LE COMTE

Et par là cet honneur n'était dû qu'à mon bras.

DON DIÈGUE

Qui n'a pu l'obtenir, ne le méritait pas.

LE COMTE

Ne le méritait pas ! moi ?

DON DIÈGUE

Vous.

1. Intrigue, manœuvre secrète.

LE COMTE

Ton impudence,

220 Téméraire vieillard, aura sa récompense.

Il lui donne un soufflet[1].

DON DIÈGUE

Achève, et prends ma vie après un tel affront,
Le premier dont ma race ait vu rougir son front.

Ils mettent l'épée à la main[2].

LE COMTE

Et que penses-tu faire avec tant de faiblesse ?

DON DIÈGUE

Ô Dieu ! ma force usée à ce besoin me laisse.

LE COMTE

225 Ton épée est à moi, mais tu serais trop vain
Si ce honteux trophée avait chargé ma main[3].
Adieu, fais lire au Prince, en dépit de l'envie,
Pour son instruction l'histoire de ta vie,
D'un insolent discours ce juste châtiment
230 Ne lui servira pas d'un petit ornement.

DON DIÈGUE

Épargnes-tu mon sang ?

---

1. Gifle.
2. Famille, lignée.
3. Le comte ne daigne pas même ramasser l'épée tombée à terre.

LE COMTE

Mon âme est satisfaite,
Et mes yeux à ma main reprochent ta défaite.

DON DIÈGUE

Tu dédaignes ma vie !

LE COMTE

En arrêter le cours
Ne serait que hâter la Parque[1] de trois jours.

Scène 5

DON DIÈGUE, *seul.*

235 Ô rage, ô désespoir ! ô vieillesse ennemie !
N'ai-je donc tant vécu que pour cette infamie ?
Et ne suis-je blanchi[2] dans les travaux guerriers
Que pour voir en un jour flétrir tant de lauriers ?
Mon bras qu'avec respect toute l'Espagne admire,
240 Mon bras qui tant de fois a sauvé cet Empire,
Tant de fois affermi le Trône de son Roi,
Trahit donc ma querelle, et ne fait rien pour moi ?
Ô cruel souvenir de ma gloire passée !
Œuvre de tant de jours en un jour effacée !
245 Nouvelle dignité fatale à mon bonheur,
Précipice élevé d'où tombe mon honneur,
Faut-il de votre éclat voir triompher le Comte,
Et mourir sans vengeance, ou vivre dans la honte ?

---

1. Divinité antique qui coupait le fil de la vie.
2. Vieilli.

Comte, sois de mon Prince à présent Gouverneur,
250 Ce haut rang n'admet point un homme sans honneur,
Et ton jaloux orgueil par cet affront insigne
Malgré le choix du Roi m'en a su rendre indigne.
Et toi de mes exploits glorieux instrument,
Mais d'un corps tout de glace inutile ornement,
255 Fer, jadis tant à craindre, et qui dans cette offense
M'as servi de parade[1], et non pas de défense,
Va, quitte désormais le dernier des humains,
Passe pour me venger en de meilleures mains ;
Si Rodrigue est mon fils, il faut que l'amour cède,
260 Et qu'une ardeur plus haute à ses flammes succède,
Mon honneur est le sien, et le mortel affront
Qui tombe sur mon chef[2] rejaillit sur son front.

Scène 6

DON DIÈGUE, DON RODRIGUE

DON DIÈGUE

Rodrigue, as-tu du cœur ?

DON RODRIGUE

Tout autre que mon père
L'éprouverait sur l'heure.

DON DIÈGUE

Agréable colère,
265 Digne ressentiment à ma douleur bien doux !

---

1. Vain ornement.
2. Tête.

Je reconnais mon sang à ce noble courroux,
Ma jeunesse revit en cette ardeur si prompte,
Viens mon fils, viens mon sang, viens réparer ma honte,
Viens me venger.

DON RODRIGUE

De quoi ?

DON DIÈGUE

D'un affront si cruel
270 Qu'à l'honneur de tous deux il porte un coup mortel,
D'un soufflet. L'insolent en eût perdu la vie,
Mais mon âge a trompé ma généreuse envie,
Et ce fer que mon bras ne peut plus soutenir,
Je le remets au tien pour venger et punir.
275 Va contre un arrogant éprouver ton courage ;
Ce n'est que dans le sang qu'on lave un tel outrage,
Meurs, ou tue. Au surplus, pour ne te point flatter[1],
Je te donne à combattre un homme à redouter,
Je l'ai vu tout sanglant au milieu des batailles
280 Se faire un beau rempart de mille funérailles.

DON RODRIGUE

Son nom, c'est perdre temps en propos superflus.

DON DIÈGUE

Donc, pour te dire encor quelque chose de plus,
Plus que brave soldat, plus que grand Capitaine,
C'est...

DON RODRIGUE

De grâce achevez.

---

1. Tromper, abuser.

DON DIÈGUE

Le père de Chimène.

DON RODRIGUE

285 Le…

DON DIÈGUE

Ne réplique point, je connais ton amour,
Mais qui peut vivre infâme est indigne du jour,
Plus l'offenseur est cher, et plus grande est l'offense :
Enfin tu sais l'affront, et tu tiens la vengeance,
Je ne te dis plus rien, venge-moi, venge-toi,
290 Montre-toi digne fils d'un tel père que moi ;
Accablé des malheurs où le destin me range
Je m'en vais les pleurer. Va, cours, vole, et nous venge.

Scène 7

DON RODRIGUE, *seul.*

Percé jusques au fond du cœur
D'une atteinte imprévue aussi bien que mortelle,
295 Misérable vengeur d'une juste querelle,
Et malheureux objet d'une injuste rigueur,
Je demeure immobile, et mon âme abattue
Cède au coup qui me tue.
Si près de voir mon feu récompensé,
300 Ô Dieu ! l'étrange peine !
En cet affront mon père est l'offensé,
Et l'offenseur le père de Chimène.

Que je sens de rudes combats !
Contre mon propre honneur mon amour s'intéresse,

305 Il faut venger un père, et perdre une maîtresse,
L'un échauffe mon cœur, l'autre retient mon bras,
Réduit au triste choix ou de trahir ma flamme,
Ou de vivre en infâme,
Des deux côtés mon mal est infini.
310 Ô Dieu ! l'étrange peine !
Faut-il laisser un affront impuni ?
Faut-il punir le père de Chimène ?

Père, maîtresse, honneur, amour,
Illustre tyrannie, adorable contrainte,
315 Par qui de ma raison la lumière est éteinte,
À mon aveuglement rendez un peu de jour.
Cher et cruel espoir d'une âme généreuse[1]
Mais ensemble amoureuse,
Noble ennemi de mon plus grand bonheur
320 Qui fais toute ma peine,
M'es-tu donné pour venger mon honneur ?
M'es-tu donné pour perdre ma Chimène ?

Il vaut mieux courir au trépas ;
Je dois à ma maîtresse aussi bien qu'à mon père,
325 Qui venge cet affront irrite sa colère,
Et qui peut le souffrir, ne la mérite pas.
Prévenons la douleur d'avoir failli contre elle,
Qui nous serait mortelle.
Tout m'est fatal, rien ne me peut guérir,
330 Ni soulager ma peine,
Allons, mon âme, et puisqu'il faut mourir,
Mourons du moins sans offenser Chimène.

---

1. Voir dossier : « *Le Cid* et la morale héroïque », p. 138. Il en est ainsi de toutes les occurrences des termes « généreux » et « générosité ».

Mourir sans tirer ma raison[1] !
Recherche un trépas si mortel à ma gloire !
335 Endurer que l'Espagne impute à ma mémoire
D'avoir mal soutenu l'honneur de ma maison !
Respecter un amour dont mon âme égarée
Voit la perte assurée !
N'écoutons plus ce penser suborneur
340 Qui ne sert qu'à ma peine,
Allons, mon bras, du moins sauvons l'honneur,
Puisque aussi bien il faut perdre Chimène.

Oui, mon esprit s'était déçu,
Dois-je pas à mon père avant qu'à ma maîtresse ?
345 Que je meure au combat, ou meure de tristesse,
Je rendrai mon sang pur comme je l'ai reçu.
Je m'accuse déjà de trop de négligence,
Courons à la vengeance,
Et tous[2] honteux d'avoir tant balancé,
350 Ne soyons plus en peine
(Puisque aujourd'hui mon père est l'offensé)
Si l'offenseur est père de Chimène.

1. Obtenir réparation, se venger.
2. L'adjectif est fréquemment utilisé pour l'adverbe, et s'accorde ici à la première personne du pluriel (soyons).

Acte II

Scène I

DON ARIAS, LE COMTE

LE COMTE

Je l'avoue entre nous, quand je lui fis l'affront
J'eus le sang un peu chaud, et le bras un peu prompt,
355 Mais puisque c'en est fait, le coup est sans remède.

DON ARIAS

Qu'aux volontés du Roi ce grand courage cède,
Il y prend grande part, et son cœur irrité
Agira contre vous de pleine autorité.
Aussi vous n'avez point de valable défense :
360 Le rang de l'offensé, la grandeur de l'offense,
Demandent des devoirs et des submissions[1]
Qui passent le commun des satisfactions[2].

---

1. Action de se soumettre en demandant pardon.
2. Des excuses ordinaires.

LE COMTE

Qu'il prenne donc ma vie, elle est en sa puissance.

DON ARIAS

Un peu moins de transport, et plus d'obéissance,
365 D'un Prince qui vous aime apaisez le courroux,
Il a dit : Je le veux. Désobéirez-vous ?

LE COMTE

Monsieur, pour conserver ma gloire et mon estime
Désobéir un peu n'est pas un si grand crime.
Et quelque grand qu'il fût, mes services présents
370 Pour le faire abolir sont plus que suffisants.

DON ARIAS

Quoi qu'on fasse d'illustre et de considérable
Jamais à son sujet un Roi n'est redevable :
Vous vous flattez beaucoup, et vous devez savoir
Que qui sert bien son Roi ne fait que son devoir.
375 Vous vous perdrez, Monsieur, sur[1] cette confiance.

LE COMTE

Je ne vous en croirai qu'après l'expérience.

DON ARIAS

Vous devez redouter la puissance d'un Roi.

LE COMTE

Un jour seul ne perd pas un homme tel que moi.
Que toute sa grandeur s'arme pour mon supplice,
380 Tout l'État périra plutôt que je périsse.

---

1. En vous fondant sur.

DON ARIAS

Quoi ? vous craignez si peu le pouvoir souverain ?

LE COMTE

D'un sceptre qui sans moi tomberait de sa main ?
Il a trop d'intérêt lui-même en ma personne,
Et ma tête en tombant ferait choir sa couronne.

DON ARIAS

385 Souffrez que la raison remette vos esprits.
Prenez un bon conseil[1].

LE COMTE

Le conseil en est pris.

DON ARIAS

Que lui dirai-je enfin ? Je lui dois rendre compte.

LE COMTE

Que je ne puis du tout consentir à ma honte.

DON ARIAS

Mais songez que les Rois veulent être absolus.

LE COMTE

390 Le sort en est jeté, Monsieur, n'en parlons plus.

DON ARIAS

Adieu donc, puisqu'en vain je tâche à vous résoudre ;
Tout couvert de lauriers, craignez encor la foudre[2].

---

1. Décision.
2. On croyait dans l'Antiquité que les lauriers sacrés ne pouvaient être frappés par la foudre.

LE COMTE

Je l'attendrai sans peur.

DON ARIAS

Mais non pas sans effet.

LE COMTE

Nous verrons donc par là Don Diègue satisfait.

Don Arias rentre.

395 Je m'étonne fort peu de menaces pareilles.
Dans les plus grands périls je fais plus de merveilles,
Et quand l'honneur y va[1], les plus cruels trépas
Présentés à mes yeux ne m'ébranleraient pas.

Scène 2

LE COMTE, DON RODRIGUE

DON RODRIGUE

À moi, Comte, deux mots.

LE COMTE

Parle.

DON RODRIGUE

Ôte-moi d'un doute.

400 Connais-tu bien Don Diègue ?

1. Quand il y va de l'honneur.

LE COMTE

Oui.

DON RODRIGUE

Parlons bas, écoute.
Sais-tu que ce vieillard fut la même vertu[1],
La vaillance, et l'honneur de son temps ? le sais-tu ?

LE COMTE

Peut-être.

DON RODRIGUE

Cette ardeur que dans les yeux je porte,
Sais-tu que c'est son sang ? le sais-tu ?

LE COMTE

Que m'importe ?

DON RODRIGUE

405 À quatre pas d'ici je te le fais savoir.

LE COMTE

Jeune présomptueux.

DON RODRIGUE

Parle sans t'émouvoir.
Je suis jeune, il est vrai, mais aux âmes bien nées
La valeur n'attend pas le nombre des années.

LE COMTE

Mais t'attaquer à moi ! qui t'a rendu si vain,
410 Toi qu'on n'a jamais vu les armes à la main ?

1. La vertu même.

DON RODRIGUE

Mes pareils à deux fois ne se font point connaître,
Et pour leurs coups d'essai veulent des coups de maître.

LE COMTE

Sais-tu bien qui je suis ?

DON RODRIGUE

Oui, tout autre que moi
Au seul bruit de ton nom pourrait trembler d'effroi,
415 Mille et mille lauriers dont ta tête est couverte
Semblent porter écrit le destin de ma perte,
J'attaque en téméraire un bras toujours vainqueur,
Mais j'aurai trop de force ayant assez de cœur,
À qui venge son père il n'est rien impossible,
420 Ton bras est invaincu, mais non pas invincible.

LE COMTE

Ce grand cœur qui paraît aux discours que tu tiens
Par tes yeux chaque jour se découvrait aux miens,
Et croyant voir en toi l'honneur de la Castille,
Mon âme avec plaisir te destinait ma fille.
425 Je sais ta passion, et suis ravi de voir
Que tous ses mouvements cèdent à ton devoir,
Qu'ils n'ont point affaibli cette ardeur magnanime,
Que ta haute vertu répond à mon estime,
Et que voulant pour gendre un Chevalier parfait
430 Je ne me trompais point au choix que j'avais fait.
Mais je sens que pour toi ma pitié s'intéresse[1],
J'admire ton courage, et je plains ta jeunesse.
Ne cherche point à faire un coup d'essai fatal,
Dispense ma valeur d'un combat inégal,

---

1. Prend parti (voir lexique).

435 Trop peu d'honneur pour moi suivrait cette victoire,
À vaincre sans péril on triomphe sans gloire,
On te croirait toujours abattu sans effort,
Et j'aurais seulement le regret de ta mort.

DON RODRIGUE

D'une indigne pitié ton audace est suivie.
440 Qui m'ose ôter l'honneur craint de m'ôter la vie.

LE COMTE

Retire-toi d'ici.

DON RODRIGUE

Marchons sans discourir.

LE COMTE

Es-tu si las de vivre ?

DON RODRIGUE

As-tu peur de mourir ?

LE COMTE

Viens, tu fais ton devoir, et le fils dégénère
Qui survit un moment à l'honneur de son père.

Scène 3

L'INFANTE, CHIMÈNE, LÉONOR

L'INFANTE

445 Apaise, ma Chimène, apaise ta douleur,
Fais agir ta constance en ce coup de malheur,

Tu reverras le calme après ce faible orage,
Ton bonheur n'est couvert que d'un petit nuage,
Et tu n'as rien perdu pour le voir différer.

CHIMÈNE

450 Mon cœur outré d'ennuis n'ose rien espérer,
Un orage si prompt qui trouble une bonace[1]
D'un naufrage certain nous porte la menace.
Je n'en saurais douter, je péris dans le port.
J'aimais, j'étais aimée, et nos pères d'accord,
455 Et je vous en contais la première nouvelle
Au malheureux moment que naissait leur querelle,
Dont le récit fatal sitôt qu'on vous l'a fait
D'une si douce attente a ruiné l'effet.
Maudite ambition, détestable manie,
460 Dont les plus généreux souffrent la tyrannie,
Impitoyable honneur, mortel à mes plaisirs,
Que tu me vas coûter de pleurs et de soupirs !

L'INFANTE

Tu n'as dans leur querelle aucun sujet de craindre,
Un moment l'a fait naître, un moment va l'éteindre,
465 Elle a fait trop de bruit pour ne pas s'accorder,
Puisque déjà le Roi les veut accommoder,
Et de ma part mon âme à tes ennuis sensible
Pour en tarir la source y fera l'impossible.

CHIMÈNE

Les accommodements ne font rien en ce point,
470 Les affronts à l'honneur ne se réparent point,
En vain on fait agir la force, ou la prudence,
Si l'on guérit le mal, ce n'est qu'en apparence,

1. Mer calme.

La haine que les cœurs conservent au-dedans
Nourrit des feux cachés, mais d'autant plus ardents.

L'INFANTE

475 Le saint nœud qui joindra Don Rodrigue et Chimène
Des pères ennemis dissipera la haine,
Et nous verrons bientôt votre amour le plus fort
Par un heureux Hymen étouffer ce discord.

CHIMÈNE

Je le souhaite ainsi plus que je ne l'espère ;
480 Don Diègue est trop altier, et je connais mon père.
Je sens couler des pleurs que je veux retenir,
Le passé me tourmente, et je crains l'avenir.

L'INFANTE

Que crains-tu ? d'un vieillard l'impuissante faiblesse ?

CHIMÈNE

Rodrigue a du courage.

L'INFANTE

Il a trop de jeunesse.

CHIMÈNE

485 Les hommes valeureux le sont du premier coup.

L'INFANTE

Tu ne dois pas pourtant le redouter beaucoup,
Il est trop amoureux pour te vouloir déplaire,
Et deux mots de ta bouche arrêtent sa colère.

CHIMÈNE

S'il ne m'obéit point, quel comble à mon ennui !
490 Et s'il peut m'obéir, que dira-t-on de lui ?

Souffrir un tel affront étant né Gentilhomme !
Soit qu'il cède, ou résiste au feu qui le consomme[1],
Mon esprit ne peut qu'être, ou honteux, ou confus,
De son trop de respect, ou d'un juste refus.

L'INFANTE

495 Chimène est généreuse, et quoique intéressée
Elle ne peut souffrir une lâche pensée !
Mais si jusques au jour de l'accommodement
Je fais mon prisonnier de ce parfait amant,
Et que j'empêche ainsi l'effet de son courage,
500 Ton esprit amoureux n'aura-t-il point d'ombrage ?

CHIMÈNE

Ah ! Madame ! en ce cas je n'ai plus de souci.

Scène 4

L'INFANTE, CHIMÈNE,
LÉONOR, LE PAGE

L'INFANTE

Page, cherchez Rodrigue, et l'amenez ici.

LE PAGE

Le Comte de Gormas et lui...

CHIMÈNE

Bon Dieu ! je tremble.

1. Consume.

L'INFANTE

Parlez.

LE PAGE

De ce Palais ils sont sortis ensemble.

CHIMÈNE

505 Seuls ?

LE PAGE

Seuls, et qui semblaient tout bas se quereller.

CHIMÈNE

Sans doute[1] ils sont aux mains, il n'en faut plus parler :
Madame, pardonnez à cette promptitude.

Scène 5

L'INFANTE, LÉONOR

L'INFANTE

Hélas ! que dans l'esprit je sens d'inquiétude !
Je pleure ses malheurs, son amant me ravit,
510 Mon repos m'abandonne, et ma flamme revit.
Ce qui va séparer Rodrigue de Chimène
Avecque mon espoir fait renaître ma peine,
Et leur division que je vois à regret
Dans mon esprit charmé jette un plaisir secret.

1. Sans aucun doute.

LÉONOR

515 Cette haute vertu qui règne dans votre âme
Se rend-elle si tôt à cette lâche flamme ?

L'INFANTE

Ne la nomme point lâche à présent que chez moi
Pompeuse[1] et triomphante elle me fait la loi.
Porte-lui du respect puisqu'elle m'est si chère ;
520 Ma vertu la combat, mais malgré moi j'espère,
Et d'un si fol espoir mon cœur mal défendu
Vole après un amant que Chimène a perdu.

LÉONOR

Vous laissez choir ainsi ce glorieux courage,
Et la raison chez vous perd ainsi son usage ?

L'INFANTE

525 Ah ! qu'avec peu d'effet on entend la raison,
Quand le cœur est atteint d'un si charmant poison !
Alors que le malade aime sa maladie,
Il ne peut plus souffrir que l'on y remédie.

LÉONOR

Votre espoir vous séduit, votre mal vous est doux,
530 Mais toujours ce Rodrigue est indigne de vous.

L'INFANTE

Je ne le sais que trop, mais si ma vertu cède
Apprends comme l'amour flatte un cœur qu'il possède.
Si Rodrigue une fois sort vainqueur du combat,
Si dessous sa valeur ce grand guerrier s'abat,
535 Je puis en faire cas, je puis l'aimer sans honte,

1. Éclatante, glorieuse.

Que ne fera-t-il point s'il peut vaincre le Comte ?
J'ose m'imaginer qu'à ses moindres exploits
Les Royaumes entiers tomberont sous ses lois,
Et mon amour flatteur[1] déjà me persuade
540 Que je le vois assis au trône de Grenade,
Les Mores subjugués trembler en l'adorant,
L'Aragon recevoir ce nouveau conquérant,
Le Portugal se rendre, et ses nobles journées
Porter delà les mers ses hautes destinées,
545 Au milieu de l'Afrique arborer ses lauriers :
Enfin tout ce qu'on dit des plus fameux guerriers,
Je l'attends de Rodrigue après cette victoire,
Et fais de son amour un sujet de ma gloire.

LÉONOR

Mais, Madame, voyez où vous portez son bras,
550 Ensuite[2] d'un combat qui peut-être n'est pas.

L'INFANTE

Rodrigue est offensé, le Comte a fait l'outrage,
Ils sont sortis ensemble, en faut-il davantage ?

LÉONOR

Je veux que ce combat demeure pour certain.
Votre esprit va-t-il point bien vite pour sa main ?

L'INFANTE

555 Que veux-tu ? je suis folle, et mon esprit s'égare,
Mais c'est le moindre mal que l'amour me prépare,
Viens dans mon cabinet consoler mes ennuis[3],
Et ne me quitte point dans le trouble où je suis.

---

1. Trompeur (voir lexique).
2. À la suite d'un combat qui peut-être n'aura pas lieu.
3. Voir lexique.

Scène 6

LE ROI, DON ARIAS, DON SANCHE,
DON ALONSE.

LE ROI

Le Comte est donc si vain, et si peu raisonnable !
560 Ose-t-il croire encor son crime pardonnable ?

DON ARIAS

Je l'ai de votre part longtemps entretenu,
J'ai fait mon pouvoir[1], Sire, et n'ai rien obtenu.

LE ROI

Justes Cieux ! Ainsi donc un sujet téméraire
A si peu de respect, et de soin de me plaire !
565 Il offense Don Diègue, et méprise son Roi !
Au milieu de ma Cour il me donne la loi !
Qu'il soit brave guerrier, qu'il soit grand Capitaine,
Je lui rabattrai bien cette humeur si hautaine,
Fût-il la valeur même, et le Dieu des combats,
570 Il verra ce que c'est que de n'obéir pas.
Je sais trop comme il faut dompter cette insolence,
Je l'ai voulu d'abord traiter sans violence,
Mais puisqu'il en abuse, allez dès aujourd'hui,
Soit qu'il résiste, ou non, vous assurer de lui[2].

Don Alonse rentre.

1. Mon possible.
2. Le faire arrêter.

DON SANCHE

575 Peut-être un peu de temps le rendrait moins rebelle,
On l'a pris tout bouillant encor de sa querelle,
Sire, dans la chaleur d'un premier mouvement
Un cœur si généreux se rend malaisément;
On voit bien qu'on a tort, mais une âme si haute
580 N'est pas si tôt réduite à confesser sa faute.

LE ROI

Don Sanche, taisez-vous, et soyez averti
Qu'on se rend criminel à prendre son parti.

DON SANCHE

J'obéis, et me tais, mais, de grâce encor, Sire,
Deux mots en sa défense.

LE ROI

Et que pourrez-vous dire?

DON SANCHE

585 Qu'une âme accoutumée aux grandes actions
Ne se peut abaisser à des submissions[1]:
Elle n'en conçoit point qui s'expliquent sans honte,
Et c'est contre ce mot qu'a résisté le Comte.
Il trouve en son devoir un peu trop de rigueur,
590 Et vous obéirait s'il avait moins de cœur.
Commandez que son bras, nourri dans les alarmes,
Répare cette injure à la pointe des armes,
Il satisfera, Sire, et vienne qui voudra,
Attendant qu'il l'ait su, voici qui répondra[2].

---

1. Voir vers 361.
2. Quel que soit celui qui demandera réparation au comte, avant que le comte ne relève le défi, l'épée de Don Sanche le relèvera à sa place.

LE ROI

595 Vous perdez le respect, mais je pardonne à l'âge,
Et j'estime l'ardeur en un jeune courage ;
Un Roi dont la prudence a de meilleurs objets
Est meilleur ménager du sang de ses sujets.
Je veille pour les miens, mes soucis les conservent,
600 Comme le chef a soin des membres qui le servent :
Ainsi votre raison n'est pas raison pour moi ;
Vous parlez en soldat, je dois agir en Roi,
Et quoi qu'il faille dire, et quoi qu'il veuille croire,
Le Comte à m'obéir ne peut perdre sa gloire.
605 D'ailleurs l'affront me touche, il a perdu d'honneur
Celui que de mon fils j'ai fait le Gouverneur,
Et par ce trait hardi d'une insolence extrême
Il s'est pris à mon choix, il s'est pris à moi-même.
C'est moi qu'il satisfait en réparant ce tort.
610 N'en parlons plus. Au reste on nous menace fort :
Sur un avis[1] reçu je crains une surprise.

DON ARIAS

Les Mores contre vous font-ils quelque entreprise ?
S'osent-ils préparer à des efforts nouveaux ?

LE ROI

Vers la bouche du fleuve on a vu leurs vaisseaux,
615 Et vous n'ignorez pas qu'avec fort peu de peine
Un flux de pleine mer jusqu'ici les amène.

DON ARIAS

Tant de combats perdus leur ont ôté le cœur
D'attaquer désormais un si puissant vainqueur.

1. Nouvelle, information.

LE ROI

N'importe, ils ne sauraient qu'avecque jalousie
620 Voir mon sceptre aujourd'hui régir l'Andalousie,
Et ce pays si beau que j'ai conquis sur eux
Réveille à tous moments leurs desseins généreux :
C'est l'unique raison qui m'a fait dans Séville
Placer depuis dix ans le trône de Castille,
625 Pour les voir de plus près, et d'un ordre plus prompt
Renverser aussitôt ce qu'ils entreprendront.

DON ARIAS

Sire, ils ont trop appris aux dépens de leurs têtes
Combien votre présence assure vos conquêtes :
Vous n'avez rien à craindre.

LE ROI

Et rien à négliger :
630 Le trop de confiance attire le danger,
Et le même ennemi que l'on vient de détruire,
S'il sait prendre son temps, est capable de nuire.

Don Alonse revient.

Toutefois j'aurais tort de jeter dans les cœurs,
L'avis étant mal sûr, de Paniques terreurs,
635 L'effroi que produirait cette alarme inutile
Dans la nuit qui survient troublerait trop la ville :
Puisqu'on fait bonne garde aux murs et sur le port,
Il suffit pour ce soir.

DON ALONSE

Sire, le Comte est mort,
Don Diègue par son fils a vengé son offense.

LE ROI

640 Dès que j'ai su l'affront, j'ai prévu la vengeance,
Et j'ai voulu dès lors prévenir ce malheur.

DON ALONSE

Chimène à vos genoux apporte sa douleur,
Elle vient toute en pleurs vous demander justice.

LE ROI

Bien qu'à ses déplaisirs mon âme compatisse,
645 Ce que le Comte a fait semble avoir mérité
Ce juste châtiment de sa témérité.
Quelque juste pourtant que puisse être sa peine,
Je ne puis sans regret perdre un tel Capitaine ;
Après un long service à mon État rendu,
650 Après son sang pour moi mille fois répandu,
À quelques sentiments que son orgueil m'oblige,
Sa perte m'affaiblit, et son trépas m'afflige.

Scène 7

LE ROI, DON DIÈGUE, CHIMÈNE,
DON SANCHE, DON ARIAS, DON ALONSE

CHIMÈNE

Sire, Sire, justice.

DON DIÈGUE

Ah ! Sire, écoutez-nous.

CHIMÈNE

Je me jette à vos pieds.

DON DIÈGUE

J'embrasse vos genoux.

CHIMÈNE

655 Je demande justice.

DON DIÈGUE

Entendez ma défense.

CHIMÈNE

Vengez-moi d'une mort…

DON DIÈGUE

Qui punit l'insolence.

CHIMÈNE

Rodrigue, Sire…

DON DIÈGUE

A fait un coup d'homme de bien.

CHIMÈNE

Il a tué mon père.

DON DIÈGUE

Il a vengé le sien.

CHIMÈNE

Au sang de ses sujets un Roi doit la justice.

DON DIÈGUE

660 Une vengeance juste est sans peur du supplice.

LE ROI

Levez-vous l'un et l'autre, et parlez à loisir.
Chimène, je prends part à votre déplaisir,
D'une égale douleur je sens mon âme atteinte,
Vous[1] parlerez après, ne troublez pas sa plainte.

CHIMÈNE

665 Sire, mon père est mort, mes yeux ont vu son sang
Couler à gros bouillons de son généreux flanc,
Ce sang qui tant de fois garantit vos murailles,
Ce sang qui tant de fois vous gagna des batailles,
Ce sang qui tout sorti fume encor de courroux
670 De se voir répandu pour d'autres que pour vous,
Qu'au milieu des hasards[2] n'osait verser la guerre,
Rodrigue en votre Cour vient d'en couvrir la terre,
Et pour son coup d'essai son indigne attentat
D'un si ferme soutien a privé votre État,
675 De vos meilleurs soldats abattu l'assurance,
Et de vos ennemis relevé l'espérance.
J'arrivai sur le lieu sans force et sans couleur,
Je le trouvai sans vie. Excusez ma douleur,
Sire, la voix me manque à ce récit funeste,
680 Mes pleurs et mes soupirs vous diront mieux le reste.

LE ROI

Prends courage, ma fille, et sache qu'aujourd'hui
Ton Roi te veut servir de père au lieu de lui.

CHIMÈNE

Sire, de trop d'honneur ma misère est suivie.
J'arrivai donc sans force, et le trouvai sans vie,

---

1. Le roi s'adresse à Don Diègue.
2. Dangers (voir lexique).

685 Il ne me parla point mais pour mieux m'émouvoir
Son sang sur la poussière écrivait mon devoir,
Ou plutôt sa valeur en cet état réduite
Me parlait par sa plaie et hâtait ma poursuite,
Et pour se faire entendre au plus juste des Rois
690 Par cette triste bouche elle empruntait ma voix.
Sire, ne souffrez pas que sous votre puissance
Règne devant vos yeux une telle licence,
Que les plus valeureux avec impunité
Soient exposés aux coups de la témérité,
695 Qu'un jeune audacieux triomphe de leur gloire,
Se baigne dans leur sang, et brave leur mémoire,
Un si vaillant guerrier qu'on vient de vous ravir
Éteint, s'il n'est vengé, l'ardeur de vous servir.
Enfin mon père est mort, j'en demande vengeance,
700 Plus pour votre intérêt que pour mon allégeance ;
Vous perdez en la mort d'un homme de son rang,
Vengez-la par une autre, et le sang par le sang,
Sacrifiez Don Diègue, et toute sa famille,
À vous, à votre peuple, à toute la Castille,
705 Le Soleil qui voit tout ne voit rien sous les Cieux
Qui vous puisse payer un sang si précieux.

LE ROI

Don Diègue, répondez.

DON DIÈGUE

Qu'on est digne d'envie
Quand avecque la force on perd aussi la vie,
Sire, et que l'âge apporte aux hommes généreux
710 Avecque sa faiblesse un destin malheureux !
Moi dont les longs travaux ont acquis tant de gloire,
Moi que jadis partout a suivi la victoire,
Je me vois aujourd'hui pour avoir trop vécu

Recevoir un affront, et demeurer vaincu.
715 Ce que n'a pu jamais combat, siège, embuscade,
Ce que n'a pu jamais Aragon, ni Grenade,
Ni tous vos ennemis, ni tous mes envieux,
L'orgueil dans votre Cour l'a fait presque à vos yeux,
Et souillé sans respect l'honneur de ma vieillesse,
720 Avantagé de l'âge, et fort de ma faiblesse.
Sire, ainsi ces cheveux blanchis sous le harnois,
Ce sang pour vous servir prodigué tant de fois,
Ce bras jadis l'effroi d'une armée ennemie,
Descendaient au tombeau tous chargés d'infamie,
725 Si je n'eusse produit un fils digne de moi,
Digne de son pays, et digne de son Roi.
Il m'a prêté sa main, il a tué le Comte,
Il m'a rendu l'honneur, il a lavé ma honte.
Si montrer du courage et du ressentiment,
730 Si venger un soufflet mérite un châtiment,
Sur moi seul doit tomber l'éclat de la tempête :
Quand le bras a failli l'on en punit la tête ;
Du crime glorieux qui cause nos débats,
Sire, j'en suis la tête, il n'en est que le bras,
735 Si Chimène se plaint qu'il a tué son père,
Il ne l'eût jamais fait, si je l'eusse pu faire.
Immolez donc ce chef que les ans vont ravir,
Et conservez pour vous le bras qui peut servir,
Aux dépens de mon sang satisfaites Chimène,
740 Je n'y résiste point, je consens à ma peine,
Et loin de murmurer d'un injuste décret
Mourant sans déshonneur je mourrai sans regret.

LE ROI

L'affaire est d'importance et, bien considérée,
Mérite en plein conseil d'être délibérée.
745 Don Sanche, remettez Chimène en sa maison,

Don Diègue aura ma Cour et sa foi pour prison.
Qu'on me cherche son fils. Je vous ferai justice.

CHIMÈNE

Il est juste, grand Roi, qu'un meurtrier périsse.

LE ROI

Prends du repos, ma fille, et calme tes douleurs.

CHIMÈNE

750 M'ordonner du repos, c'est croître mes malheurs.

Acte III

Scène I

DON RODRIGUE, ELVIRE

ELVIRE

Rodrigue, qu'as-tu fait ? où viens-tu, misérable ?

DON RODRIGUE

Suivre le triste cours de mon sort déplorable.

ELVIRE

Où prends-tu cette audace et ce nouvel orgueil
De paraître en des lieux que tu remplis de deuil ?
755 Quoi ? viens-tu jusqu'ici braver l'ombre du Comte ?
Ne l'as-tu pas tué ?

DON RODRIGUE

Sa vie était ma honte,
Mon honneur de ma main a voulu cet effort.

ELVIRE

Mais chercher ton asile en la maison du mort !
Jamais un meurtrier en fit-il son refuge ?

DON RODRIGUE

760 Jamais un meurtrier s'offrit-il à son Juge ?
Ne me regarde plus d'un visage étonné,
Je cherche le trépas après l'avoir donné,
Mon Juge est mon amour, mon Juge est ma Chimène,
Je mérite la mort de mériter sa haine,
765 Et j'en viens recevoir comme un bien souverain,
Et l'arrêt de sa bouche, et le coup de sa main.

ELVIRE

Fuis plutôt de ses yeux, fuis de sa violence,
À ses premiers transports dérobe ta présence ;
Va, ne t'expose point aux premiers mouvements
770 Que poussera[1] l'ardeur de ses ressentiments.

DON RODRIGUE

Non, non, ce cher objet[2] à qui j'ai pu déplaire
Ne peut pour mon supplice avoir trop de colère,
Et d'un heur sans pareil je me verrai combler
Si pour mourir plutôt[3] je la puis redoubler.

ELVIRE

775 Chimène est au Palais de pleurs toute baignée,
Et n'en reviendra point que bien accompagnée.
Rodrigue, fuis de grâce, ôte-moi de souci,
Que ne dira-t-on point si l'on te voit ici ?

---

1. Fera naître.
2. Personne aimée (voir lexique).
3. Plus tôt, plus vite.

Veux-tu qu'un médisant l'accuse en sa misère
780 D'avoir reçu chez soi l'assassin de son père ?
Elle va revenir, elle vient, je la vois.
Du moins pour son honneur, Rodrigue, cache-toi.

Il se cache.

Scène 2

DON SANCHE, CHIMÈNE, ELVIRE

DON SANCHE

Oui, Madame, il vous faut de sanglantes victimes,
Votre colère est juste, et vos pleurs légitimes,
785 Et je n'entreprends pas à force de parler,
Ni de vous adoucir, ni de vous consoler.
Mais si de vous servir je puis être capable,
Employez mon épée à punir le coupable,
Employez mon amour à venger cette mort,
790 Sous vos commandements mon bras sera trop fort.

CHIMÈNE

Malheureuse !

DON SANCHE

Madame, acceptez mon service.

CHIMÈNE

J'offenserais le Roi, qui m'a promis justice.

DON SANCHE

Vous savez qu'elle marche avec tant de langueur
Que bien souvent le crime échappe à sa longueur,

795 Son cours lent et douteux fait trop perdre de larmes ;
Souffrez qu'un Chevalier vous venge par les armes,
La voie en est plus sûre, et plus prompte à punir.

CHIMÈNE

C'est le dernier remède, et s'il y faut venir,
Et que de mes malheurs cette pitié vous dure,
800 Vous serez libre alors de venger mon injure.

DON SANCHE

C'est l'unique bonheur où mon âme prétend,
Et pouvant l'espérer je m'en vais trop content.

Scène 3

CHIMÈNE, ELVIRE

CHIMÈNE

Enfin je me vois libre, et je puis sans contrainte
De mes vives douleurs te faire voir l'atteinte,
805 Je puis donner passage à mes tristes soupirs,
Je puis t'ouvrir mon âme, et tous mes déplaisirs.
Mon père est mort, Elvire, et la première épée
Dont s'est armé Rodrigue a sa trame coupée[1].
Pleurez, pleurez mes yeux, et fondez-vous en eau,
810 La moitié de ma vie a mis l'autre au tombeau,
Et m'oblige à venger, après ce coup funeste,
Celle que je n'ai plus, sur celle qui me reste.

1. A tranché le fil de sa vie.

ELVIRE

Reposez-vous, Madame.

CHIMÈNE

Ah ! que mal à propos
Ton avis importun m'ordonne du repos !
815 Par où sera jamais mon âme satisfaite
Si je pleure ma perte, et la main qui l'a faite ?
Et que puis-je espérer qu'un tourment éternel
Si je poursuis un crime aimant le criminel ?

ELVIRE

Il vous prive d'un père, et vous l'aimez encore !

CHIMÈNE

820 C'est peu de dire aimer, Elvire, je l'adore :
Ma passion s'oppose à mon ressentiment,
Dedans mon ennemi je trouve mon amant,
Et je sens qu'en dépit de toute ma colère
Rodrigue dans mon cœur combat encor mon père.
825 Il l'attaque, il le presse, il cède, il se défend,
Tantôt fort, tantôt faible, et tantôt triomphant :
Mais en ce dur combat de colère et de flamme
Il déchire mon cœur sans partager mon âme,
Et quoi que mon amour ait sur moi de pouvoir
830 Je ne consulte point pour suivre mon devoir,
Je cours sans balancer où mon honneur m'oblige ;
Rodrigue m'est bien cher, son intérêt m'afflige,
Mon cœur prend son parti, mais contre leur effort
Je sais que je suis fille, et que mon père est mort.

ELVIRE

835 Pensez-vous le poursuivre ?

CHIMÈNE

Ah ! cruelle pensée,
Et cruelle poursuite où je me vois forcée !
Je demande sa tête, et crains de l'obtenir,
Ma mort suivra la sienne, et je le veux punir.

ELVIRE

Quittez, quittez, Madame, un dessein si tragique,
840 Ne vous imposez point de loi si tyrannique.

CHIMÈNE

Quoi ? J'aurai vu mourir mon père entre mes bras
Son sang criera vengeance et je ne l'orrai[1] pas !
Mon cœur honteusement surpris par d'autres charmes
Croira ne lui devoir que d'impuissantes larmes !
845 Et je pourrai souffrir qu'un amour suborneur
Dans un lâche silence étouffe mon honneur !

ELVIRE

Madame, croyez-moi, vous serez excusable
De conserver pour vous un homme incomparable,
Un amant si chéri ; vous avez assez fait,
850 Vous avez vu le Roi, n'en pressez point d'effet,
Ne vous obstinez point en cette humeur étrange.

CHIMÈNE

Il y va de ma gloire, il faut que je me venge,
Et de quoi que nous flatte un désir amoureux,
Toute excuse est honteuse aux esprits généreux.

ELVIRE

855 Mais vous aimez Rodrigue, il ne vous peut déplaire.

---

1. Entendrai (futur du verbe ouïr).

CHIMÈNE

Je l'avoue.

ELVIRE

Après tout que pensez-vous donc faire ?

CHIMÈNE

Pour conserver ma gloire, et finir mon ennui,
Le poursuivre, le perdre, et mourir après lui.

Scène 4

DON RODRIGUE, CHIMÈNE, ELVIRE

DON RODRIGUE

Eh bien, sans vous donner la peine de poursuivre,
860 Saoulez-vous du plaisir de m'empêcher de vivre.

CHIMÈNE

Elvire, où sommes-nous ? et qu'est-ce que je vois ?
Rodrigue en ma maison ! Rodrigue devant moi !

DON RODRIGUE

N'épargnez point mon sang, goûtez sans résistance
La douceur de ma perte et de votre vengeance.

CHIMÈNE

865 Hélas !

DON RODRIGUE

Écoute-moi.

CHIMÈNE

Je me meurs.

DON RODRIGUE

Un moment.

CHIMÈNE

Va, laisse-moi mourir.

DON RODRIGUE

Quatre mots seulement,
Après ne me réponds qu'avecque cette épée.

CHIMÈNE

Quoi ? du sang de mon père encor toute trempée !

DON RODRIGUE

Ma Chimène.

CHIMÈNE

Ôte-moi cet objet odieux
870 Qui reproche ton crime et ta vie à mes yeux.

DON RODRIGUE

Regarde-le plutôt pour exciter ta haine,
Pour croître ta colère, et pour hâter ma peine.

CHIMÈNE

Il est teint de mon sang.

DON RODRIGUE

Plonge-le dans le mien,
Et fais-lui perdre ainsi la teinture du tien.

CHIMÈNE

875 Ah ! quelle cruauté, qui tout en un jour tue
Le père par le fer, la fille par la vue !
Ôte-moi cet objet, je ne le puis souffrir,
Tu veux que je t'écoute et tu me fais mourir.

DON RODRIGUE

Je fais ce que tu veux, mais sans quitter l'envie
880 De finir par tes mains ma déplorable[1] vie ;
Car enfin n'attends pas de mon affection
Un lâche repentir d'une bonne action :
De la main de ton père un coup irréparable
Déshonorait du mien la vieillesse honorable,
885 Tu sais comme un soufflet touche un homme de cœur ;
J'avais part à l'affront, j'en ai cherché l'auteur,
Je l'ai vu, j'ai vengé mon honneur et mon père,
Je le ferais encor, si j'avais à le faire.
Ce n'est pas qu'en effet contre mon père et moi
890 Ma flamme assez longtemps n'ait combattu pour toi :
Juge de son pouvoir ; dans une telle offense
J'ai pu douter encor si j'en prendrais vengeance,
Réduit à te déplaire, ou souffrir un affront,
J'ai retenu ma main, j'ai cru mon bras trop prompt,
895 Je me suis accusé de trop de violence :
Et ta beauté sans doute emportait la balance,
Si je n'eusse opposé contre tous tes appas
Qu'un homme sans honneur ne te méritait pas,
Qu'après m'avoir chéri quand je vivais sans blâme
900 Qui m'aima généreux, me haïrait infâme,
Qu'écouter ton amour, obéir à sa voix,
C'était m'en rendre indigne et diffamer ton choix.
Je te le dis encore, et veux, tant que j'expire,

1. Digne d'être pleurée.

Sans cesse le penser et sans cesse le dire :
905 Je t'ai fait une offense, et j'ai dû m'y porter,
Pour effacer ma honte et pour te mériter.
Mais, quitte envers l'honneur, et quitte envers mon père,
C'est maintenant à toi que je viens satisfaire,
C'est pour t'offrir mon sang qu'en ce lieu tu me vois,
910 J'ai fait ce que j'ai dû, je fais ce que je dois.
Je sais qu'un père mort t'arme contre mon crime,
Je ne t'ai pas voulu dérober ta victime,
Immole avec courage au sang qu'il a perdu
Celui qui met sa gloire à l'avoir répandu.

CHIMÈNE

915 Ah Rodrigue ! il est vrai, quoique ton ennemie,
Je ne te puis blâmer d'avoir fui l'infamie,
Et de quelque façon qu'éclatent mes douleurs,
Je ne t'accuse point, je pleure mes malheurs.
Je sais ce que l'honneur, après un tel outrage,
920 Demandait à l'ardeur d'un généreux courage,
Tu n'as fait le devoir que d'un homme de bien ;
Mais aussi, le faisant, tu m'as appris le mien.
Ta funeste valeur m'instruit par ta victoire ;
Elle a vengé ton père et soutenu ta gloire,
925 Même soin me regarde, et j'ai, pour m'affliger,
Ma gloire à soutenir, et mon père à venger.
Hélas ! ton intérêt ici me désespère.
Si quelque autre malheur m'avait ravi mon père,
Mon âme aurait trouvé dans le bien de te voir
930 L'unique allégement qu'elle eût pu recevoir,
Et contre ma douleur j'aurais senti des charmes
Quand une main si chère eût essuyé mes larmes.
Mais il me faut te perdre après l'avoir perdu ;
Et pour mieux tourmenter mon esprit éperdu,

935 Avec tant de rigueur mon astre me domine,
Qu'il me faut travailler moi-même à ta ruine ;
Car enfin n'attends pas de mon affection
De lâches sentiments pour ta punition :
De quoi qu'en ta faveur notre amour m'entretienne
940 Ma générosité doit répondre à la tienne,
Tu t'es en m'offensant montré digne de moi,
Je me dois par ta mort montrer digne de toi.

DON RODRIGUE

Ne diffère donc plus ce que l'honneur t'ordonne,
Il demande ma tête et je te l'abandonne,
945 Fais-en un sacrifice à ce noble intérêt,
Le coup m'en sera doux aussi bien que l'arrêt.
Attendre après mon crime une lente justice
C'est reculer ta gloire autant que mon supplice,
Je mourrai trop heureux mourant d'un coup si beau.

CHIMÈNE

950 Va, je suis ta partie[1], et non pas ton bourreau.
Si tu m'offres ta tête, est-ce à moi de la prendre ?
Je la dois attaquer, mais tu dois la défendre,
C'est d'un autre que toi qu'il me faut l'obtenir
Et je dois te poursuivre et non pas te punir.

DON RODRIGUE

955 De quoi qu'en ma faveur notre amour t'entretienne,
Ta générosité doit répondre à la mienne.
Et pour venger un père emprunter d'autres bras,
Ma Chimène, crois-moi, c'est n'y répondre pas :
Ma main seule du mien a su venger l'offense,
960 Ta main seule du tien doit prendre la vengeance.

---

1. Partie adverse (sens juridique).

CHIMÈNE

Cruel, à quel propos sur ce point t'obstiner ?
Tu t'es vengé sans aide et tu m'en veux donner !
Je suivrai ton exemple, et j'ai trop de courage
Pour souffrir qu'avec toi ma gloire se partage :
965 Mon père et mon honneur ne veulent rien devoir
Aux traits de ton amour, ni de ton désespoir.

DON RODRIGUE

Rigoureux point d'honneur ! hélas ! quoi que je fasse
Ne pourrai-je à la fin obtenir cette grâce ?
Au nom d'un père mort, ou de notre amitié,
970 Punis-moi par vengeance, ou du moins par pitié,
Ton malheureux amant aura bien moins de peine
À mourir par ta main, qu'à vivre avec ta haine.

CHIMÈNE

Va, je ne te hais point.

DON RODRIGUE

Tu le dois.

CHIMÈNE

Je ne puis.

DON RODRIGUE

Crains-tu si peu le blâme, et si peu les faux bruits ?
975 Quand on saura mon crime et que ta flamme dure,
Que ne publieront point l'envie et l'imposture ?
Force-les au silence, et sans plus discourir
Sauve ta renommée en me faisant mourir.

CHIMÈNE

Elle éclate bien mieux en te laissant en vie,
980 Et je veux que la voix de la plus noire envie

Élève au Ciel ma gloire, et plaigne mes ennuis,
Sachant que je t'adore et que je te poursuis.
Va-t'en, ne montre plus à ma douleur extrême
Ce qu'il faut que je perde, encore que[1] je l'aime,
985 Dans l'ombre de la nuit cache bien ton départ,
Si l'on te voit sortir, mon honneur court hasard[2],
La seule occasion qu'aura la médisance
C'est de savoir qu'ici j'ai souffert ta présence,
Ne lui donne point lieu d'attaquer ma vertu.

DON RODRIGUE

990 Que je meure.

CHIMÈNE

Va-t'en.

DON RODRIGUE

À quoi te résous-tu ?

CHIMÈNE

Malgré des feux si beaux qui rompent ma colère,
Je ferai mon possible à bien venger mon père,
Mais malgré la rigueur d'un si cruel devoir,
Mon unique souhait est de ne rien pouvoir.

DON RODRIGUE

995 Ô miracle d'amour !

CHIMÈNE

Mais comble de misères.

1. Bien que.
2. Danger (voir lexique).

DON RODRIGUE

Que de maux et de pleurs nous coûteront nos pères !

CHIMÈNE

Rodrigue, qui l'eût cru !

DON RODRIGUE

Chimène, qui l'eût dit !

CHIMÈNE

Que notre heur fût si proche et si tôt se perdît !

DON RODRIGUE

Et que si près du port, contre toute apparence,
1000 Un orage si prompt brisât notre espérance !

CHIMÈNE

Ah, mortelles douleurs !

DON RODRIGUE

Ah, regrets superflus !

CHIMÈNE

Va-t'en, encore un coup[1], je ne t'écoute plus.

DON RODRIGUE

Adieu, je vais traîner une mourante vie,
Tant que par ta poursuite elle me soit ravie.

CHIMÈNE

1005 Si j'en obtiens l'effet, je te donne ma foi
De ne respirer pas un moment après toi.
Adieu, sors, et surtout garde bien qu'on te voie.

---

1. Encore une fois.

ELVIRE

Madame, quelques maux que le Ciel nous envoie…

CHIMÈNE

Ne m'importune plus, laisse-moi soupirer,
1010 Je cherche le silence, et la nuit pour pleurer.

Scène 5

DON DIÈGUE, *seul.*

Jamais nous ne goûtons de parfaite allégresse,
Nos plus heureux succès sont mêlés de tristesse,
Toujours quelques soucis en ces événements
Troublent la pureté de nos contentements :
1015 Au milieu du bonheur mon âme en sent l'atteinte,
Je nage dans la joie et je tremble de crainte,
J'ai vu mort l'ennemi qui m'avait outragé,
Et je ne saurais voir la main qui m'a vengé,
En vain je m'y travaille[1] et d'un soin inutile
1020 Tout cassé que je suis je cours toute la ville,
Si peu que mes vieux ans m'ont laissé de vigueur
Se consomme[2] sans fruit à chercher ce vainqueur.
À toute heure, en tous lieux, dans une nuit si sombre,
Je pense l'embrasser, et n'embrasse qu'une ombre,
1025 Et mon amour, déçu[3] par cet objet trompeur,
Se forme des soupçons qui redoublent ma peur,
Je ne découvre point de marques de sa fuite,

1. Je m'y emploie.
2. Se consume, se dépense.
3. Trompé (voir lexique).

Je crains du Comte mort les amis et la suite ;
Leur nombre m'épouvante et confond ma raison,
1030 Rodrigue ne vit plus, ou respire en prison.
Justes Cieux ! me trompé-je encore à l'apparence,
Ou si je vois enfin mon unique espérance ?
C'est lui, n'en doutons plus, mes vœux sont exaucés ;
Ma crainte est dissipée, et mes ennuis cessés.

Scène 6

DON DIÈGUE, DON RODRIGUE

DON DIÈGUE

1035 Rodrigue, enfin le Ciel permet que je te voie !

DON RODRIGUE

Hélas !

DON DIÈGUE

Ne mêle point de soupirs à ma joie ;
Laisse-moi prendre haleine afin de te louer,
Ma valeur n'a point lieu de te désavouer,
Tu l'as bien imitée, et ton illustre audace
1040 Fait bien revivre en toi les Héros de ma race ;
C'est d'eux que tu descends, c'est de moi que tu viens,
Ton premier coup d'épée égale tous les miens,
Et d'une belle ardeur ta jeunesse animée
Par cette grande épreuve atteint ma renommée.
1045 Appui de ma vieillesse, et comble de mon heur,
Touche ces cheveux blancs à qui tu rends l'honneur,
Viens baiser cette joue et reconnais la place
Où fut jadis l'affront que ton courage efface.

DON RODRIGUE

L'honneur vous en est dû, les Cieux me sont témoins
1050 Qu'étant sorti de vous je ne pouvais pas moins ;
Je me tiens trop heureux, et mon âme est ravie
Que mon coup d'essai plaise à qui je dois la vie.
Mais parmi vos plaisirs ne soyez point jaloux
Si j'ose satisfaire à moi-même après vous ;
1055 Souffrez qu'en liberté mon désespoir éclate,
Assez et trop longtemps votre discours le flatte,
Je ne me repens point de vous avoir servi,
Mais rendez-moi le bien que ce coup m'a ravi,
Mon bras pour vous venger armé contre ma flamme
1060 Par ce coup glorieux m'a privé de mon âme,
Ne me dites plus rien, pour vous j'ai tout perdu.
Ce que je vous devais, je vous l'ai bien rendu.

DON DIÈGUE

Porte encore plus haut le fruit de ta victoire.
Je t'ai donné la vie, et tu me rends ma gloire,
1065 Et d'autant que l'honneur m'est plus cher que le jour,
D'autant plus maintenant je te dois de retour[1].
Mais d'un si brave cœur éloigne ces faiblesses,
Nous n'avons qu'un honneur, il est tant de maîtresses ;
L'amour n'est qu'un plaisir, et l'honneur un devoir.

DON RODRIGUE

1070 Ah ! que me dites-vous ?

DON DIÈGUE

Ce que tu dois savoir.

1. Je te dois d'autant plus que l'honneur m'est cher.

DON RODRIGUE

Mon honneur offensé sur moi-même se venge,
Et vous m'osez pousser à la honte du change[1] !
L'infamie est pareille et suit également
Le guerrier sans courage et le perfide amant.
1075 À ma fidélité ne faites point d'injure,
Souffrez-moi généreux sans me rendre parjure,
Mes liens sont trop forts pour être ainsi rompus,
Ma foi m'engage encor si je n'espère plus,
Et ne pouvant quitter ni posséder Chimène,
1080 Le trépas que je cherche est ma plus douce peine.

DON DIÈGUE

Il n'est pas temps encor de chercher le trépas,
Ton Prince et ton pays ont besoin de ton bras.
La flotte qu'on craignait dans ce grand fleuve[2] entrée
Vient surprendre la ville et piller la contrée,
1085 Les Mores vont descendre et le flux et la nuit
Dans une heure à nos murs les amène sans bruit,
La Cour est en désordre et le peuple en alarmes,
On n'entend que des cris, on ne voit que des larmes :
Dans ce malheur public mon bonheur a permis
1090 Que j'aie trouvé chez moi cinq cents de mes amis[3],
Qui sachant mon affront poussés d'un même zèle
Venaient m'offrir leur vie à venger ma querelle.
Tu les as prévenus[4], mais leurs vaillantes mains
Se tremperont bien mieux au sang des Africains.
1095 Va marcher à leur tête où l'honneur te demande,

---

1. Inconstance, infidélité.
2. Le Guadalquivir, qui passe à Séville et se jette dans l'Atlantique.
3. Cinq cents de mes amis : ce nombre étonnant n'est peut-être pas impossible pour un aristocrate, dont l'entourage était nombreux. Cependant, même à l'époque, le nombre a choqué.
4. Devancés.

C'est toi que veut pour Chef leur généreuse bande :
De ces vieux ennemis va soutenir l'abord[1],
Là, si tu veux mourir, trouve une belle mort,
Prends-en l'occasion puisqu'elle t'est offerte,
1100 Fais devoir à ton Roi son salut à ta perte.
Mais reviens-en plutôt les palmes sur le front,
Ne borne pas ta gloire à venger un affront,
Pousse-la plus avant, force par ta vaillance
La justice au pardon et Chimène au silence ;
1105 Si tu l'aimes, apprends que retourner vainqueur
C'est l'unique moyen de regagner son cœur.
Mais le temps est trop cher pour le perdre en paroles,
Je t'arrête en discours et je veux que tu voles,
Viens, suis-moi, va combattre, et montrer à ton Roi
1110 Que ce qu'il perd au Comte il le recouvre en toi.

1. Arrivée par mer.

Acte IV

Scène I

CHIMÈNE, ELVIRE

CHIMÈNE

N'est-ce point un faux bruit ? le sais-tu bien, Elvire ?

ELVIRE

Vous ne croiriez jamais comme chacun l'admire,
Et porte jusqu'au Ciel d'une commune voix
De ce jeune Héros les glorieux exploits.
1115 Les Mores devant lui n'ont paru qu'à leur honte,
Leur abord fut bien prompt, leur fuite encor plus
  prompte,
Trois heures de combat laissent à nos guerriers
Une victoire entière et deux Rois prisonniers ;
La valeur de leur chef ne trouvait point d'obstacles.

CHIMÈNE

1120 Et la main de Rodrigue a fait tous ces miracles !

ELVIRE

De ses nobles efforts ces deux Rois sont le prix,
Sa main les a vaincus et sa main les a pris.

CHIMÈNE

De qui peux-tu savoir ces nouvelles étranges ?

ELVIRE

Du peuple qui partout fait sonner ses louanges,
1125 Le nomme de sa joie, et l'objet, et l'auteur,
Son Ange tutélaire, et son libérateur.

CHIMÈNE

Et le Roi, de quel œil voit-il tant de vaillance ?

ELVIRE

Rodrigue n'ose encor paraître en sa présence,
Mais Don Diègue ravi lui présente enchaînés
1130 Au nom de ce vainqueur ces captifs couronnés,
Et demande pour grâce à ce généreux Prince
Qu'il daigne voir la main qui sauve sa Province.

CHIMÈNE

Mais n'est-il point blessé ?

ELVIRE

Je n'en ai rien appris.
Vous changez de couleur, reprenez vos esprits.

CHIMÈNE

1135 Reprenons donc aussi ma colère affaiblie.
Pour avoir soin de lui faut-il que je m'oublie ?
On le vante, on le loue et mon cœur y consent !

Mon honneur est muet, mon devoir impuissant !
Silence mon amour, laisse agir ma colère,
1140 S'il a vaincu deux Rois, il a tué mon père,
Ces tristes vêtements où je lis mon malheur
Sont les premiers effets qu'ait produits sa valeur,
Et combien que pour lui tout un peuple s'anime,
Ici tous les objets me parlent de son crime.
1145 Vous qui rendez la force à mes ressentiments,
Voile, crêpes, habits, lugubres ornements,
Pompe[1] où m'ensevelit sa première victoire,
Contre ma passion soutenez bien ma gloire
Et lorsque mon amour prendra trop de pouvoir,
1150 Parlez à mon esprit de mon triste devoir,
Attaquez sans rien craindre une main triomphante.

ELVIRE

Modérez ces transports, voici venir l'Infante.

Scène 2

L'INFANTE, CHIMÈNE,
LÉONOR, ELVIRE

L'INFANTE

Je ne viens pas ici consoler tes douleurs,
Je viens plutôt mêler mes soupirs à tes pleurs.

CHIMÈNE

1155 Prenez bien plutôt part à la commune joie,
Et goûtez le bonheur que le Ciel vous envoie :

1. Pompe funèbre, apparat de deuil.

Madame, autre que[1] moi n'a droit de soupirer,
Le péril dont Rodrigue a su vous retirer,
Et le salut public que vous rendent ses armes
1160 À moi seule aujourd'hui permet encor les larmes ;
Il a sauvé la ville, il a servi son Roi,
Et son bras valeureux n'est funeste qu'à moi.

L'INFANTE

Ma Chimène, il est vrai qu'il a fait des merveilles.

CHIMÈNE

Déjà ce bruit fâcheux a frappé mes oreilles,
1165 Et je l'entends partout publier hautement
Aussi brave guerrier que malheureux amant.

L'INFANTE

Qu'a de fâcheux pour toi ce discours populaire ?
Ce jeune Mars qu'il loue a su jadis te plaire,
Il possédait ton âme, il vivait sous tes lois,
1170 Et vanter sa valeur c'est honorer ton choix.

CHIMÈNE

J'accorde que chacun la vante avec justice,
Mais pour moi sa louange est un nouveau supplice,
On aigrit[2] ma douleur en l'élevant si haut,
Je vois ce que je perds, quand je vois ce qu'il vaut.
1175 Ah cruels déplaisirs à l'esprit d'une amante !
Plus j'apprends son mérite et plus mon feu s'augmente,
Cependant mon devoir est toujours le plus fort
Et malgré mon amour va poursuivre sa mort.

---

1. Personne d'autre que.
2. On accentue.

L'INFANTE

Hier ce devoir te mit en une haute estime,
1180 L'effort que tu te fis parut si magnanime,
Si digne d'un grand cœur, que chacun à la Cour
Admirait ton courage et plaignait ton amour.
Mais croirais-tu l'avis d'une amitié fidèle ?

CHIMÈNE

Ne vous obéir pas me rendrait criminelle.

L'INFANTE

1185 Ce qui fut bon alors ne l'est plus aujourd'hui.
Rodrigue maintenant est notre unique appui,
L'espérance et l'amour d'un peuple qui l'adore,
Le soutien de Castille et la terreur du More,
Ses faits[1] nous ont rendu ce qu'ils nous ont ôté,
1190 Et ton père en lui seul se voit ressuscité,
Et si tu veux enfin qu'en deux mots je m'explique,
Tu poursuis en sa mort la ruine publique,
Quoi ? pour venger un père est-il jamais permis
De livrer sa patrie aux mains des ennemis ?
1195 Contre nous ta poursuite est-elle légitime ?
Et pour être punis avons-nous part au crime ?
Ce n'est pas qu'après tout tu doives épouser
Celui qu'un père mort t'obligeait d'accuser,
Je te voudrais moi-même en arracher l'envie ;
1200 Ôte-lui ton amour, mais laisse-nous sa vie.

CHIMÈNE

Ah ! Madame, souffrez qu'avecque liberté
Je pousse jusqu'au bout ma générosité.
Quoique mon cœur pour lui contre moi s'intéresse,

1. Ses exploits.

Quoiqu'un peuple l'adore, et qu'un Roi le caresse[1],
1205 Qu'il soit environné des plus vaillants guerriers,
J'irai sous mes Cyprès accabler ses lauriers[2].

L'INFANTE

C'est générosité, quand pour venger un père
Notre devoir attaque une tête si chère :
Mais c'en est une encor d'un plus illustre rang,
1210 Quand on donne[3] au public les intérêts du sang.
Non, crois-moi, c'est assez que d'éteindre ta flamme,
Il sera trop puni s'il n'est plus dans ton âme ;
Que le bien du pays t'impose cette loi ;
Aussi bien, que crois-tu que t'accorde le Roi ?

CHIMÈNE

1215 Il peut me refuser, mais je ne me puis taire.

L'INFANTE

Pense bien, ma Chimène, à ce que tu veux faire.
Adieu, tu pourras seule y songer à loisir.

CHIMÈNE

Après mon père mort je n'ai point à choisir.

---

1. Lui exprime son amitié.
2. Le cyprès était dans l'Antiquité symbole de deuil, et les lauriers symbole de gloire.
3. Abandonne, sacrifie.

Scène 3

LE ROI, DON DIÈGUE, DON ARIAS,
DON RODRIGUE, DON SANCHE

LE ROI

Généreux héritier d'une illustre famille
1220 Qui fut toujours la gloire et l'appui de Castille,
Race de tant d'aïeux en valeur signalés
Que l'essai de la tienne a si tôt égalés,
Pour te récompenser ma force est trop petite,
Et j'ai moins de pouvoir que tu n'as de mérite.
1225 Le pays délivré d'un si rude ennemi,
Mon sceptre dans ma main par la tienne affermi,
Et les Mores défaits avant qu'en ces alarmes
J'eusse pu donner ordre à repousser leurs armes,
Ne sont point des exploits qui laissent à ton Roi
1230 Le moyen ni l'espoir de s'acquitter vers[1] toi.
Mais deux Rois, tes captifs, feront ta récompense,
Ils t'ont nommé tous deux leur Cid en ma présence,
Puisque Cid en leur langue est autant que Seigneur[2],
Je ne t'envierai pas ce beau titre d'honneur.
1235 Sois désormais le Cid, qu'à ce grand nom tout cède,
Qu'il devienne l'effroi de Grenade et Tolède,
Et qu'il marque à tous ceux qui vivent sous mes lois
Et ce que tu me vaux et ce que je te dois.

1. Envers.
2. Corneille rappelle ici la traduction du mot espagnol.

DON RODRIGUE

Que Votre Majesté, Sire, épargne ma honte,
1240 D'un si faible service elle fait trop de compte,
Et me force à rougir devant un si grand Roi
De mériter si peu l'honneur que j'en reçois.
Je sais trop que je dois au bien de votre Empire
Et le sang qui m'anime et l'air que je respire,
1245 Et quand je les perdrai pour un si digne objet,
Je ferai seulement le devoir d'un sujet.

LE ROI

Tous ceux que ce devoir à mon service engage
Ne s'en acquittent pas avec même courage,
Et lorsque la valeur ne va point dans l'excès,
1250 Elle ne produit point de si rares succès.
Souffre donc qu'on te loue, et de cette victoire
Apprends-moi plus au long la véritable histoire.

DON RODRIGUE

Sire, vous avez su qu'en ce danger pressant
Qui jeta dans la ville un effroi si puissant,
1255 Une troupe d'amis chez mon père assemblée
Sollicita mon âme encor toute troublée.
Mais, Sire, pardonnez à ma témérité,
Si j'osai l'employer sans votre autorité;
Le péril approchait, leur brigade était prête,
1260 Et paraître à la Cour eût hasardé ma tête,
Qu'à défendre l'État j'aimais bien mieux donner,
Qu'aux plaintes de Chimène ainsi l'abandonner.

LE ROI

J'excuse ta chaleur à venger ton offense,
Et l'État défendu me parle en ta défense:
1265 Crois que dorénavant Chimène a beau parler,

Je ne l'écoute plus que pour la consoler.
Mais poursuis.

DON RODRIGUE

Sous moi [1] donc cette troupe s'avance,
Et porte sur le front une mâle assurance :
Nous partîmes cinq cents, mais par un prompt renfort,
1270 Nous nous vîmes trois mille en arrivant au port,
Tant à nous voir marcher en si bon équipage
Les plus épouvantés reprenaient de courage.
J'en cache les deux tiers, aussitôt qu'arrivés,
Dans le fond des vaisseaux qui lors furent trouvés :
1275 Le reste, dont le nombre augmentait à toute heure,
Brûlant d'impatience autour de moi demeure,
Se couche contre terre, et sans faire aucun bruit,
Passe une bonne part d'une si belle nuit.
Par mon commandement la garde en fait de même,
1280 Et se tenant cachée aide à mon stratagème,
Et je feins hardiment d'avoir reçu de vous
L'ordre qu'on me voit suivre, et que je donne à tous.
Cette obscure clarté qui tombe des étoiles
Enfin avec le flux nous fit voir trente voiles ;
1285 L'onde s'enflait dessous, et d'un commun effort
Les Mores, et la mer entrèrent dans le port.
On les laisse passer, tout leur paraît tranquille,
Point de soldats au port, point aux murs de la ville,
Notre profond silence abusant leurs esprits
1290 Ils n'osent plus douter de nous avoir surpris,
Ils abordent sans peur, ils ancrent, ils descendent
Et courent se livrer aux mains qui les attendent :
Nous nous levons alors et tous en même temps
Poussons jusques au Ciel mille cris éclatants,

---

1. Sous mes ordres.

1295 Les nôtres au signal de nos vaisseaux répondent,
Ils paraissent armés, les Mores se confondent[1],
L'épouvante les prend à demi descendus,
Avant que de combattre ils s'estiment perdus,
Ils couraient au pillage, et rencontrent la guerre,
1300 Nous les pressons sur l'eau, nous les pressons sur terre
Et nous faisons courir des ruisseaux de leur sang
Avant qu'aucun résiste, ou reprenne son rang.
Mais bientôt malgré nous leurs Princes les rallient,
Leur courage renaît, et leurs terreurs s'oublient,
1305 La honte de mourir sans avoir combattu
Rétablit[2] leur désordre, et leur rend leur vertu :
Contre nous de pied ferme ils tirent les épées,
Des plus braves soldats les trames sont coupées,
Et la terre, et le fleuve, et leur flotte, et le port
1310 Sont des champs de carnage où triomphe la mort.
Ô combien d'actions, combien d'exploits célèbres
Furent ensevelis dans l'horreur des ténèbres,
Où chacun seul témoin des grands coups qu'il donnait,
Ne pouvait discerner où le sort inclinait !
1315 J'allais de tous côtés encourager les nôtres,
Faire avancer les uns, et soutenir les autres,
Ranger ceux qui venaient, les pousser à leur tour,
Et n'en pus rien savoir jusques au point du jour.
Mais enfin sa clarté montra notre avantage,
1320 Le More vit sa perte et perdit le courage,
Et voyant un renfort qui nous vint secourir
Changea l'ardeur de vaincre à la peur de mourir.
Ils gagnent leurs vaisseaux, ils en coupent les chables[3],
Nous laissent pour Adieux des cris épouvantables,
1325 Font retraite en tumulte, et sans considérer

1. Sont pris par la confusion, le désordre.
2. Met fin à.
3. Câbles d'amarrage.

Si leurs Rois avec eux ont pu se retirer.
Ainsi leur devoir cède à la frayeur plus forte,
Le flux les apporta, le reflux les remporte,
Cependant que leurs Rois engagés parmi nous,
1330 Et quelque peu des leurs tous percés de nos coups,
Disputent vaillamment et vendent bien leur vie.
À se rendre moi-même en vain je les convie,
Le cimeterre au poing ils ne m'écoutent pas ;
Mais voyant à leurs pieds tomber tous leurs soldats,
1335 Et que seuls désormais en vain ils se défendent,
Ils demandent le Chef, je me nomme, ils se rendent,
Je vous les envoyai tous deux en même temps,
Et le combat cessa faute de combattants.
C'est de cette façon que pour votre service...

Scène 4

LE ROI, DON DIÈGUE, DON RODRIGUE, DON ARIAS, DON ALONSE, DON SANCHE

DON ALONSE

1340 Sire, Chimène vient vous demander Justice.

LE ROI

La fâcheuse nouvelle, et l'importun devoir !
Va, je ne la veux pas obliger à te voir,
Pour tous remerciements il faut que je te chasse :
Mais avant que sortir, viens que ton Roi t'embrasse.

Don Rodrigue rentre.

DON DIÈGUE

1345 Chimène le poursuit, et voudrait le sauver.

LE ROI

On m'a dit qu'elle l'aime, et je vais l'éprouver,
Contrefaites le triste[1].

Scène 5

LE ROI, DON DIÈGUE,
DON ARIAS, DON SANCHE, DON ALONSE,
CHIMÈNE, ELVIRE

LE ROI

Enfin soyez contente,
Chimène, le succès répond à votre attente :
Si de nos ennemis Rodrigue a le dessus,
1350 Il est mort à nos yeux des coups qu'il a reçus,
Rendez grâces au Ciel qui vous en a vengée.
Voyez comme déjà sa couleur est changée.

DON DIÈGUE

Mais voyez qu'elle pâme[2], et d'un amour parfait
Dans cette pâmoison, Sire, admirez l'effet,
1355 Sa douleur a trahi les secrets de son âme
Et ne vous permet plus de douter de sa flamme.

CHIMÈNE

Quoi ? Rodrigue est donc mort ?

---

1. Faites semblant d'être triste.
2. Se pâmer, s'évanouir.

LE ROI

Non, non, il voit le jour,
Et te conserve encore un immuable amour,
Tu le posséderas, reprends ton allégresse.

CHIMÈNE

1360 Sire, on pâme de joie ainsi que de tristesse,
Un excès de plaisir nous rend tous languissants,
Et quand il surprend l'âme, il accable les sens.

LE ROI

Tu veux qu'en ta faveur nous croyions l'impossible,
Ta tristesse, Chimène, a paru trop visible.

CHIMÈNE

1365 Eh bien, Sire, ajoutez ce comble à mes malheurs,
Nommez ma pâmoison l'effet de mes douleurs,
Un juste déplaisir à ce point m'a réduite,
Son trépas dérobait sa tête à ma poursuite ;
S'il meurt des coups reçus pour le bien du pays,
1370 Ma vengeance est perdue et mes desseins trahis.
Une si belle fin m'est trop injurieuse,
Je demande sa mort, mais non pas glorieuse,
Non pas dans un éclat qui l'élève si haut,
Non pas au lit d'honneur[1], mais sur un échafaud.
1375 Qu'il meure pour mon père, et non pour la patrie,
Que son nom soit taché, sa mémoire flétrie ;
Mourir pour le pays n'est pas un triste sort,
C'est s'immortaliser par une belle mort.
J'aime donc sa victoire, et je le puis sans crime,
1380 Elle assure l'État, et me rend ma victime,

1. Le champ d'honneur, le champ de bataille où tombent les soldats.

Mais noble, mais fameuse entre tous les guerriers,
Le chef au lieu de fleurs couronné de lauriers,
Et pour dire en un mot ce que j'en considère,
Digne d'être immolée aux Mânes de mon père :
1385 Hélas ! à quel espoir me laissé-je emporter !
Rodrigue de ma part n'a rien à redouter :
Que pourraient contre lui des larmes qu'on méprise ?
Pour lui tout votre Empire est un lieu de franchise[1],
Là sous votre pouvoir tout lui devient permis,
1390 Il triomphe de moi, comme des ennemis,
Dans leur sang épandu la justice étouffée,
Aux crimes du vainqueur sert d'un nouveau trophée,
Nous en croissons la pompe et le mépris des lois
Nous fait suivre son char au milieu de deux Rois.

LE ROI

1395 Ma fille, ces transports ont trop de violence.
Quand on rend la justice, on met tout en balance :
On a tué ton père, il était l'agresseur,
Et la même équité m'ordonne la douceur.
Avant que d'accuser ce que j'en fais paraître,
1400 Consulte bien ton cœur, Rodrigue en est le maître,
Et ta flamme en secret rend grâces à ton Roi
Dont la faveur conserve un tel amant pour toi.

CHIMÈNE

Pour moi mon ennemi ! l'objet de ma colère !
L'auteur de mes malheurs ! l'assassin de mon père !
1405 De ma juste poursuite on fait si peu de cas
Qu'on me croit obliger en ne m'écoutant pas !
Puisque vous refusez la justice à mes larmes,
Sire, permettez-moi de recourir aux armes,

1. Asile, lieu sûr.

C'est par là seulement qu'il a su m'outrager,
1410 Et c'est aussi par là que je me dois venger.
À tous vos Chevaliers je demande sa tête.
Oui, qu'un d'eux me l'apporte, et je suis sa conquête,
Qu'ils le combattent, Sire, et le combat fini,
J'épouse le vainqueur si Rodrigue est puni.
1415 Sous votre autorité souffrez qu'on le publie.

LE ROI

Cette vieille coutume[1] en ces lieux établie,
Sous couleur de punir un injuste attentat,
Des meilleurs combattants affaiblit un État.
Souvent de cet abus le succès déplorable
1420 Opprime l'innocent et soutient le coupable.
J'en dispense Rodrigue, il m'est trop précieux
Pour l'exposer aux coups d'un sort capricieux,
Et quoi qu'ait pu commettre un cœur si magnanime
Les Mores en fuyant ont emporté son crime.

DON DIÈGUE

1425 Quoi, Sire ! pour lui seul vous renversez des lois
Qu'a vu toute la Cour observer tant de fois !
Que croira votre peuple et que dira l'envie
Si sous votre défense il ménage sa vie,
Et s'en sert d'un prétexte à ne paraître pas
1430 Où tous les gens d'honneur cherchent un beau trépas ?
Sire, ôtez ces faveurs qui terniraient sa gloire,
Qu'il goûte sans rougir les fruits de sa victoire,
Le Comte eut de l'audace, il l'en a su punir,
Il l'a fait en brave homme, et le doit soutenir.

---

1. Le duel. Voir notre paragraphe sur le duel, p. 137.

LE ROI

1435 Puisque vous le voulez j'accorde qu'il le fasse,
Mais d'un guerrier vaincu mille prendraient la place,
Et le prix que Chimène au vainqueur a promis
De tous mes Chevaliers ferait ses ennemis :
L'opposer seul à tous serait trop d'injustice,
1440 Il suffit qu'une fois il entre dans la lice :
Choisis qui tu voudras, Chimène, et choisis bien,
Mais après ce combat ne demande plus rien.

DON DIÈGUE

N'excusez point par là ceux que son bras étonne[1],
Laissez un camp ouvert où n'entrera personne.
1445 Après ce que Rodrigue a fait voir aujourd'hui,
Quel courage assez vain s'oserait prendre à lui ?
Qui se hasarderait contre un tel adversaire ?
Qui serait ce vaillant, ou bien ce téméraire ?

DON SANCHE

Faites ouvrir le camp, vous voyez l'assaillant,
1450 Je suis ce téméraire, ou plutôt ce vaillant.
Accordez cette grâce à l'ardeur qui me presse,
Madame, vous savez quelle est votre promesse.

LE ROI

Chimène, remets-tu ta querelle en sa main ?

CHIMÈNE

Sire, je l'ai promis.

LE ROI

Soyez prêt à demain.

---

1. Frappe de stupeur (voir lexique).

DON DIÈGUE

1455 Non, Sire, il ne faut pas différer davantage,
On est toujours trop prêt quand on a du courage.

LE ROI

Sortir d'une bataille et combattre à l'instant !

DON DIÈGUE

Rodrigue a pris haleine en vous la racontant.

LE ROI

Du moins, une heure, ou deux, je veux qu'il se délasse.
1460 Mais de peur qu'en exemple un tel combat ne passe,
Pour témoigner à tous qu'à regret je permets
Un sanglant procédé qui ne me plut jamais,
De moi, ni de ma Cour il n'aura la présence.

Il parle à Don Arias.

Vous seul des combattants jugerez la vaillance :
1465 Ayez soin que tous deux fassent en gens de cœur,
Et le combat fini m'amenez le vainqueur.
Quel qu'il soit, même prix est acquis à sa peine,
Je le veux de ma main présenter à Chimène,
Et que pour récompense il reçoive sa foi.

CHIMÈNE

1470 Sire, c'est me donner une trop dure loi.

LE ROI

Tu t'en plains, mais ton feu loin d'avouer ta plainte,
Si Rodrigue est vainqueur, l'accepte sans contrainte.
Cesse de murmurer[1] contre un arrêt si doux :
Qui que ce soit des deux, j'en ferai ton époux.

1. Élever des objections.

Acte V

Scène I

DON RODRIGUE, CHIMÈNE

CHIMÈNE

1475 Quoi, Rodrigue, en plein jour ! d'où te vient cette audace ?
Va, tu me perds d'honneur, retire-toi, de grâce.

DON RODRIGUE

Je vais mourir, Madame, et vous viens en ce lieu,
Avant le coup mortel, dire un dernier Adieu,
Mon amour vous le doit, et mon cœur qui soupire
1480 N'ose sans votre aveu sortir de votre Empire.

CHIMÈNE

Tu vas mourir !

DON RODRIGUE

J'y cours, et le Comte est vengé,
Aussitôt que de vous j'en aurai le congé.

CHIMÈNE

Tu vas mourir ! Don Sanche est-il si redoutable,
Qu'il donne l'épouvante à ce cœur indomptable ?
1485 Qui t'a rendu si faible, ou qui le rend si fort ?
Rodrigue va combattre, et se croit déjà mort !
Celui qui n'a pas craint les Mores, ni mon père,
Va combattre Don Sanche et déjà désespère !
Ainsi donc au besoin ton courage s'abat[1] ?

DON RODRIGUE

1490 Je cours à mon supplice, et non pas au combat,
Et ma fidèle ardeur sait bien m'ôter l'envie,
Quand vous cherchez ma mort, de défendre ma vie.
J'ai toujours même cœur, mais je n'ai point de bras
Quand il faut conserver ce qui ne vous plaît pas,
1495 Et déjà cette nuit m'aurait été mortelle
Si j'eusse combattu pour ma seule querelle :
Mais défendant mon Roi, son peuple, et le pays,
À me défendre mal je les aurais trahis,
Mon esprit généreux ne hait pas tant la vie
1500 Qu'il en veuille sortir par une perfidie.
Maintenant qu'il s'agit de mon seul intérêt,
Vous demandez ma mort, j'en accepte l'arrêt ;
Votre ressentiment choisit la main d'un autre,
Je ne méritais pas de mourir de la vôtre ;
1505 On ne me verra point en repousser les coups,
Je dois plus de respect à qui combat pour vous,
Et ravi de penser que c'est de vous qu'ils viennent,
Puisque c'est votre honneur que ses armes soutiennent,
Je lui vais présenter mon estomac ouvert,
1510 Adorant en sa main la vôtre qui me perd.

1. Ainsi devant le danger tu perds courage.

CHIMÈNE

Si d'un triste devoir la juste violence,
Qui me fait malgré moi poursuivre ta vaillance,
Prescrit à ton amour une si forte loi
Qu'il te rend sans défense à qui combat pour moi,
1515 En cet aveuglement ne perds pas la mémoire,
Qu'ainsi que de ta vie, il y va de ta gloire,
Et que dans quelque éclat que Rodrigue ait vécu
Quand on le saura mort, on le croira vaincu.
L'honneur te fut plus cher que je ne te suis chère,
1520 Puisqu'il trempa tes mains dans le sang de mon père,
Et te fit renoncer malgré ta passion,
À l'espoir le plus doux de ma possession :
Je t'en vois cependant faire si peu de compte
Que sans rendre combat tu veux qu'on te surmonte.
1525 Quelle inégalité[1] ravale ta vertu ?
Pourquoi ne l'as-tu plus, ou pourquoi l'avais-tu ?
Quoi ? n'es-tu généreux que pour me faire outrage ?
S'il ne faut m'offenser n'as-tu point de courage ?
Et traites-tu mon père avec tant de rigueur
1530 Qu'après l'avoir vaincu tu souffres un vainqueur ?
Non, sans vouloir mourir, laisse-moi te poursuivre,
Et défends ton honneur si tu ne veux plus vivre.

DON RODRIGUE

Après la mort du Comte, et les Mores défaits,
Mon honneur appuyé sur de si grands effets
1535 Contre un autre ennemi n'a plus à se défendre :
On sait que mon courage ose tout entreprendre,
Que ma valeur peut tout, et que dessous les Cieux,
Quand mon honneur y va[2], rien ne m'est précieux.

---

1. Inconstance, changement d'avis.
2. Quand il y va de mon honneur.

Non, non, en ce combat, quoi que vous veuilliez croire,
1540 Rodrigue peut mourir sans hasarder sa gloire,
Sans qu'on l'ose accuser d'avoir manqué de cœur,
Sans passer pour vaincu, sans souffrir un vainqueur.
On dira seulement : « Il adorait Chimène,
Il n'a pas voulu vivre et mériter sa haine,
1545 Il a cédé lui-même à la rigueur du sort
Qui forçait sa maîtresse à poursuivre sa mort,
Elle voulait sa tête, et son cœur magnanime
S'il l'en eût refusée eût pensé faire un crime :
Pour venger son honneur il perdit son amour,
1550 Pour venger sa maîtresse il a quitté le jour,
Préférant (quelque espoir qu'eût son âme asservie)
Son honneur à Chimène, et Chimène à sa vie. »
Ainsi donc vous verrez ma mort en ce combat
Loin d'obscurcir ma gloire en rehausser l'éclat,
1555 Et cet honneur suivra mon trépas volontaire,
Que tout autre que moi n'eût pu vous satisfaire.

CHIMÈNE

Puisque pour t'empêcher de courir au trépas
Ta vie et ton honneur sont de faibles appas,
Si jamais je t'aimai, cher Rodrigue, en revanche,
1560 Défends-toi maintenant pour m'ôter à Don Sanche,
Combats pour m'affranchir d'une condition
Qui me livre à l'objet de mon aversion.
Te dirai-je encor plus ? va, songe à ta défense,
Pour forcer mon devoir, pour m'imposer silence,
1565 Et si jamais l'amour échauffa tes esprits,
Sors vainqueur d'un combat dont Chimène est le prix.
Adieu, ce mot lâché me fait rougir de honte.

DON RODRIGUE, *seul.*

Est-il quelque ennemi qu'à présent je ne dompte ?
Paraissez, Navarrais, Mores, et Castillans,
1570 Et tout ce que l'Espagne a nourri de vaillants,
Unissez-vous ensemble, et faites une armée
Pour combattre une main de la sorte animée,
Joignez tous vos efforts contre un espoir si doux,
Pour en venir à bout, c'est trop peu que de vous.

Scène 2

L'INFANTE

1575 T'écouterai-je encor, respect de ma naissance,
Qui fais un crime de mes feux ?
T'écouterai-je, Amour, dont la douce puissance
Contre ce fier tyran fait rebeller mes vœux ?
Pauvre Princesse, auquel des deux
1580 Dois-tu prêter obéissance ?
Rodrigue, ta valeur te rend digne de moi,
Mais pour être vaillant tu n'es pas fils de Roi.

Impitoyable sort, dont la rigueur sépare
Ma gloire d'avec mes désirs,
1585 Est-il dit que le choix d'une vertu si rare
Coûte à ma passion de si grands déplaisirs ?
Ô Cieux ! à combien de soupirs
Faut-il que mon cœur se prépare,
S'il ne peut obtenir dessus [1] mon sentiment
1590 Ni d'éteindre l'amour, ni d'accepter l'amant ?

1. En triomphant de.

Mais ma honte m'abuse, et ma raison s'étonne
Du mépris d'un si digne choix :
Bien qu'aux Monarques seuls ma naissance me donne,
Rodrigue, avec honneur je vivrai sous tes lois.
1595 Après avoir vaincu deux Rois
Pourrais-tu manquer de couronne ?
Et ce grand nom de Cid que tu viens de gagner
Marque-t-il pas déjà sur qui tu dois régner ?

Il est digne de moi, mais il est à Chimène,
1600 Le don que j'en ai fait me nuit,
Entre eux un père mort sème si peu de haine
Que le devoir du sang à regret le poursuit.
Ainsi n'espérons aucun fruit
De son crime, ni de ma peine,
1605 Puisque pour me punir le destin a permis
Que l'amour dure même entre deux ennemis.

Scène 3

L'INFANTE, LÉONOR

L'INFANTE

Où viens-tu, Léonor ?

LÉONOR

Vous témoigner, Madame,
L'aise que je ressens du repos de votre âme.

L'INFANTE

D'où viendrait ce repos dans un comble d'ennui ?

LÉONOR

1610 Si l'amour vit d'espoir, et s'il meurt avec lui,
Rodrigue ne peut plus charmer votre courage,
Vous savez le combat où Chimène l'engage,
Puisqu'il faut qu'il y meure, ou qu'il soit son mari,
Votre espérance est morte, et votre esprit guéri.

L'INFANTE

1615 Ô, qu'il s'en faut encor !

LÉONOR

Que pouvez-vous prétendre ?

L'INFANTE

Mais plutôt quel espoir me pourrais-tu défendre ?
Si Rodrigue combat sous ces conditions,
Pour en rompre l'effet j'ai trop d'inventions,
L'amour, ce doux auteur de mes cruels supplices,
1620 Aux esprits des amants apprend trop d'artifices.

LÉONOR

Pourrez-vous quelque chose après qu'un père mort
N'a pu dans leurs esprits allumer de discord ?
Car Chimène aisément montre par sa conduite
Que la haine aujourd'hui ne fait pas sa poursuite :
1625 Elle obtient un combat, et pour son combattant,
C'est le premier offert qu'elle accepte à l'instant :
Elle ne choisit point de ces mains généreuses
Que tant d'exploits fameux rendent si glorieuses,
Don Sanche lui suffit, c'est la première fois
1630 Que ce jeune Seigneur endosse le harnois.
Elle aime en ce duel son peu d'expérience,
Comme il est sans renom, elle est sans défiance,
Un tel choix, et si prompt, vous doit bien faire voir

Qu'elle cherche un combat qui force son devoir,
1635 Et livrant à Rodrigue une victoire aisée,
Puisse l'autoriser à paraître apaisée.

L'INFANTE

Je le remarque assez, et toutefois mon cœur
À l'envi de Chimène adore ce vainqueur.
À quoi me résoudrai-je, amante infortunée ?

LÉONOR

1640 À vous ressouvenir de qui vous êtes née,
Le Ciel vous doit un Roi, vous aimez un sujet.

L'INFANTE

Mon inclination a bien changé d'objet.
Je n'aime plus Rodrigue, un simple Gentilhomme,
Une ardeur bien plus digne à présent me consomme ;
1645 Si j'aime, c'est l'auteur de tant de beaux exploits,
C'est le valeureux Cid, le maître de deux Rois,
Je me vaincrai pourtant, non de peur d'aucun blâme,
Mais pour ne troubler pas une si belle flamme,
Et quand pour m'obliger on l'aurait couronné,
1650 Je ne veux point reprendre un bien que j'ai donné.
Puisqu'en un tel combat sa victoire est certaine
Allons encore un coup le donner à Chimène,
Et toi qui vois les traits dont mon cœur est percé,
Viens me voir achever comme j'ai commencé.

Scène 4

CHIMÈNE, ELVIRE

CHIMÈNE

1655 Elvire, que je souffre, et que je suis à plaindre !
Je ne sais qu'espérer, et je vois tout à craindre,
Aucun vœu ne m'échappe où[1] j'ose consentir,
Et mes plus doux souhaits sont pleins d'un repentir.
À deux rivaux pour moi je fais prendre les armes,
1660 Le plus heureux succès me coûtera des larmes,
Et quoi qu'en ma faveur en ordonne le sort,
Mon père est sans vengeance, ou mon amant est mort.

ELVIRE

D'un et d'autre côté je vous vois soulagée,
Ou vous avez Rodrigue, ou vous êtes vengée,
1665 Et quoi que le destin puisse ordonner de vous,
Il soutient votre gloire et vous donne un époux.

CHIMÈNE

Quoi ? l'objet de ma haine, ou bien de ma colère !
L'assassin de Rodrigue, ou celui de mon père !
De tous les deux côtés on me donne un mari
1670 Encor tout teint du sang que j'ai le plus chéri.
De tous les deux côtés mon âme se rebelle,
Je crains plus que la mort la fin de ma querelle ;
Allez, vengeance, amour, qui troublez mes esprits,
Vous n'avez point pour moi de douceurs à ce prix.

---

1. Auquel.

1675 Et toi, puissant moteur du destin qui m'outrage[1],
Termine ce combat sans aucun avantage,
Sans faire aucun des deux, ni vaincu, ni vainqueur.

ELVIRE

Ce serait vous traiter avec trop de rigueur.
Ce combat pour votre âme est un nouveau supplice
1680 S'il vous laisse obligée à demander justice,
À témoigner toujours ce haut ressentiment,
Et poursuivre toujours la mort de votre amant.
Non, non, il vaut bien mieux que sa rare vaillance,
Lui gagnant un laurier vous impose silence,
1685 Que la loi du combat étouffe vos soupirs,
Et que le Roi vous force à suivre vos désirs.

CHIMÈNE

Quand il sera vainqueur, crois-tu que je me rende ?
Mon devoir est trop fort, et ma perte trop grande,
Et ce n'est pas assez pour leur faire la loi
1690 Que celle du combat et le vouloir du Roi.
Il peut vaincre Don Sanche avec fort peu de peine,
Mais non pas avec lui la gloire de Chimène,
Et quoi qu'à sa victoire un Monarque ait promis,
Mon honneur lui fera mille autres ennemis.

ELVIRE

1695 Gardez, pour vous punir de cet orgueil étrange,
Que le Ciel à la fin ne souffre qu'on vous venge.
Quoi ? vous voulez encor refuser le bonheur
De pouvoir maintenant vous taire avec honneur ?
Que prétend ce devoir ? et qu'est-ce qu'il espère ?
1700 La mort de votre amant vous rendra-t-elle un père ?

---

1. Dieu.

Est-ce trop peu pour vous que d'un coup de malheur ?
Faut-il perte sur perte, et douleur sur douleur ?
Allez, dans le caprice où votre humeur s'obstine,
Vous ne méritez pas l'amant qu'on vous destine,
1705 Et le Ciel, ennuyé de vous être si doux,
Vous lairra[1] par sa mort Don Sanche pour époux.

CHIMÈNE

Elvire, c'est assez des peines que j'endure,
Ne les redouble point par ce funeste augure,
Je veux, si je le puis, les éviter tous deux,
1710 Sinon, en ce combat Rodrigue a tous mes vœux :
Non qu'une folle ardeur de son côté me penche,
Mais s'il était vaincu, je serais à Don Sanche,
Cette appréhension fait naître mon souhait.
Que vois-je, malheureuse ? Elvire, c'en est fait.

Scène 5

DON SANCHE, CHIMÈNE, ELVIRE

DON SANCHE

1715 Madame, à vos genoux j'apporte cette épée.

CHIMÈNE

Quoi ? du sang de Rodrigue encor toute trempée ?
Perfide, oses-tu bien te montrer à mes yeux,
Après m'avoir ôté ce que j'aimais le mieux ?
Éclate mon amour, tu n'as plus rien à craindre,

1. Laissera (conjugaison archaïque).

1720 Mon père est satisfait[1], cesse de te contraindre,
Un même coup a mis ma gloire en sûreté,
Mon âme au désespoir, ma flamme en liberté.

DON SANCHE

D'un esprit plus rassis[2]...

CHIMÈNE

Tu me parles encore,
Exécrable assassin d'un Héros que j'adore?
1725 Va, tu l'as pris en traître, un guerrier si vaillant
N'eût jamais succombé sous un tel assaillant.

ELVIRE

Mais, Madame, écoutez.

CHIMÈNE

Que veux-tu que j'écoute?
Après ce que je vois puis-je être encor en doute?
J'obtiens pour mon malheur ce que j'ai demandé,
1730 Et ma juste poursuite a trop bien succédé[3].
Pardonne, cher amant, à sa rigueur sanglante,
Songe que je suis fille aussi bien comme[4] amante,
Si j'ai vengé mon père aux dépens de ton sang,
Du mien pour te venger j'épuiserai mon flanc.
1735 Mon âme désormais n'a rien qui la retienne,
Elle ira recevoir ce pardon de la tienne.
Et toi qui me prétends acquérir par sa mort,
Ministre déloyal de mon rigoureux sort,

---

1. Vengé.
2. Plus calme.
3. Réussi.
4. Que.

N'espère rien de moi, tu ne m'as point servie,
1740 En croyant me venger tu m'as ôté la vie.

DON SANCHE

Étrange impression qui, loin de m'écouter…

CHIMÈNE

Veux-tu que de sa mort je t'écoute vanter ?
Que j'entende à loisir avec quelle insolence
Tu peindras son malheur, mon crime, et ta vaillance,
1745 Qu'à tes yeux ce récit tranche mes tristes jours ?
Va, va, je mourrai bien sans ce cruel secours,
Abandonne mon âme au mal qui la possède,
Pour venger mon amant je ne veux point qu'on m'aide.

Scène 6

LE ROI, DON DIÈGUE, DON ARIAS,
DON SANCHE, DON ALONSE,
CHIMÈNE, ELVIRE

CHIMÈNE

Sire, il n'est plus besoin de vous dissimuler
1750 Ce que tous mes efforts ne vous ont pu celer.
J'aimais, vous l'avez su, mais pour venger un père
J'ai bien voulu proscrire[1] une tête si chère :
Votre Majesté, Sire, elle-même a pu voir
Comme j'ai fait céder mon amour au devoir.
1755 Enfin, Rodrigue est mort, et sa mort m'a changée
D'implacable ennemie en amante affligée.

1. Mettre à prix la tête de quelqu'un.

J'ai dû cette vengeance à qui m'a mise au jour,
Et je dois maintenant ces pleurs à mon amour.
Don Sanche m'a perdue en prenant ma défense,
1760 Et du bras qui me perd je suis la récompense.
Sire, si la pitié peut émouvoir un Roi,
De grâce révoquez une si dure loi ;
Pour prix d'une victoire où je perds ce que j'aime,
Je lui laisse mon bien, qu'il me laisse à moi-même ;
1765 Qu'en un Cloître sacré je pleure incessamment[1]
Jusqu'au dernier soupir mon père et mon amant.

DON DIÈGUE

Enfin, elle aime, Sire, et ne croit plus un crime
D'avouer par sa bouche une amour légitime.

LE ROI

Chimène, sors d'erreur, ton amant n'est pas mort,
1770 Et Don Sanche vaincu t'a fait un faux rapport...

DON SANCHE

Sire, un peu trop d'ardeur malgré moi l'a déçue.
Je venais du combat lui raconter l'issue.
Ce généreux guerrier dont son cœur est charmé :
« Ne crains rien (m'a-t-il dit quand il m'a désarmé),
1775 Je laisserais plutôt la victoire incertaine
Que de répandre un sang hasardé pour Chimène,
Mais puisque mon devoir m'appelle auprès du Roi,
Va de notre combat l'entretenir pour moi,
Offrir à ses genoux ta vie et ton épée. »
1780 Sire, j'y suis venu, cet objet l'a trompée,
Elle m'a cru vainqueur me voyant de retour,
Et soudain sa colère a trahi son amour,

1. Sans cesse.

Avec tant de transport, et tant d'impatience,
Que je n'ai pu gagner un moment d'audience.
1785 Pour moi, bien que vaincu, je me répute heureux,
Et malgré l'intérêt de mon cœur amoureux,
Perdant infiniment, j'aime encor ma défaite,
Qui fait le beau succès d'une amour si parfaite.

LE ROI

Ma fille, il ne faut point rougir d'un si beau feu,
1790 Ni chercher les moyens d'en faire un désaveu :
Une louable honte enfin t'en sollicite,
Ta gloire est dégagée, et ton devoir est quitte,
Ton père est satisfait, et c'était le venger
Que mettre tant de fois ton Rodrigue en danger.
1795 Tu vois comme le Ciel autrement en dispose ;
Ayant tant fait pour lui, fais pour toi quelque chose,
Et ne sois point rebelle à mon commandement
Qui te donne un époux aimé si chèrement.

Scène 7

LE ROI, DON DIÈGUE, DON ARIAS,
DON RODRIGUE, DON ALONSE,
DON SANCHE, L'INFANTE, CHIMÈNE,
LÉONOR, ELVIRE

L'INFANTE

Sèche tes pleurs, Chimène, et reçois sans tristesse
1800 Ce généreux vainqueur des mains de ta Princesse.

DON RODRIGUE

Ne vous offensez point, Sire, si devant vous
Un respect amoureux me jette à ses genoux.

Je ne viens point ici demander ma conquête ;
Je viens tout de nouveau vous apporter ma tête ;
1805 Madame, mon amour n'emploiera point pour moi
Ni la loi du combat, ni le vouloir du Roi.
Si tout ce qui s'est fait est trop peu pour un père,
Dites par quels moyens il vous faut satisfaire.
Faut-il combattre encor mille et mille rivaux,
1810 Aux deux bouts de la terre étendre mes travaux,
Forcer moi seul un camp, mettre en fuite une armée,
Des Héros fabuleux[1] passer la renommée ?
Si mon crime par là se peut enfin laver,
J'ose tout entreprendre, et puis tout achever.
1815 Mais si ce fier honneur toujours inexorable
Ne se peut apaiser sans la mort du coupable,
N'armez plus contre moi le pouvoir des humains,
Ma tête est à vos pieds, vengez-vous par vos mains ;
Vos mains seules ont droit de vaincre un invincible,
1820 Prenez une vengeance à tout autre impossible ;
Mais du moins que ma mort suffise à me punir,
Ne me bannissez point de votre souvenir,
Et puisque mon trépas conserve votre gloire,
Pour vous en revancher conservez ma mémoire,
1825 Et dites quelquefois, en songeant à mon sort,
« S'il ne m'avait aimée il ne serait pas mort ».

CHIMÈNE

Relève-toi, Rodrigue. Il faut l'avouer, Sire,
Mon amour a paru, je ne m'en puis dédire,
Rodrigue a des vertus que je ne puis haïr,
1830 Et vous êtes mon Roi, je vous dois obéir.
Mais à quoi que déjà vous m'ayez condamnée,
Sire, quelle apparence à ce triste Hyménée,

1. Légendaires.

Qu'un même jour commence et finisse mon deuil,
Mette en mon lit Rodrigue, et mon père au cercueil ?
1835 C'est trop d'intelligence[1] avec son homicide,
Vers ses Mânes sacrés c'est me rendre perfide,
Et souiller mon honneur d'un reproche éternel,
D'avoir trempé mes mains dans le sang paternel.

LE ROI

Le temps assez souvent a rendu légitime
1840 Ce qui semblait d'abord ne se pouvoir sans crime.
Rodrigue t'a gagnée, et tu dois être à lui,
Mais quoique sa valeur t'ait conquise aujourd'hui,
Il faudrait que je fusse ennemi de ta gloire
Pour lui donner sitôt le prix de sa victoire.
1845 Cet Hymen différé ne rompt point une loi
Qui sans marquer de temps lui destine ta foi.
Prends un an si tu veux pour essuyer tes larmes.
Rodrigue cependant, il faut prendre les armes.
Après avoir vaincu les Mores sur nos bords,
1850 Renversé leurs desseins, repoussé leurs efforts,
Va jusqu'en leur pays leur reporter la guerre,
Commander mon armée, et ravager leur terre.
À ce seul nom de Cid ils trembleront d'effroi,
Ils t'ont nommé Seigneur, et te voudront pour Roi,
1855 Mais parmi tes hauts faits sois-lui toujours fidèle,
Reviens-en, s'il se peut, encor plus digne d'elle,
Et par tes grands exploits fais-toi si bien priser
Qu'il lui soit glorieux alors de t'épouser.

DON RODRIGUE

Pour posséder Chimène, et pour votre service,
1860 Que peut-on m'ordonner que mon bras n'accomplisse ?

---

1. Complicité.

Quoi qu'absent de ses yeux il me faille endurer,
Sire, ce m'est trop d'heur de pouvoir espérer.

LE ROI

Espère en ton courage, espère en ma promesse,
Et possédant déjà le cœur de ta maîtresse,
1865 Pour vaincre un point d'honneur qui combat contre toi
Laisse faire le temps, ta vaillance, et ton Roi.

Examen du Cid

(Texte liminaire des éditions de 1660-1682)

Ce poème a tant d'avantages du côté du sujet et des pensées brillantes dont il est semé que la plupart de ses auditeurs n'ont pas voulu voir les défauts de sa conduite[1] et ont laissé enlever leurs suffrages au plaisir que leur a donné sa représentation. Bien que ce soit celui de tous mes ouvrages réguliers où je me suis permis le plus de licence, il passe encore pour le plus beau auprès de ceux qui ne s'attachent pas à la dernière sévérité des règles ; et depuis cinquante ans[2] qu'il tient sa place sur nos théâtres, l'histoire ni l'effort de l'imagination n'y ont rien fait voir qui en ait effacé l'éclat. Aussi a-t-il les deux grandes conditions que demande Aristote aux tragédies parfaites, et dont l'assemblage se rencontre si rarement chez les anciens et chez les modernes ; il les assemble même plus fortement et plus noblement que les espèces[3] que pose ce philosophe. Une maîtresse que son devoir force à poursuivre la mort de son amant, qu'elle tremble d'obtenir, a les passions plus vives et plus allumées que tout ce qui peut se passer entre un mari et sa femme,

1. *Conduite* : construction dramatique.
2. En 1660, Corneille écrit « vingt-trois ans », qu'il corrige en 1682 en « cinquante ans », arrondissant les quarante-cinq années écoulées depuis la première représentation.
3. *Espèces* : cas particuliers (terme de jurisprudence).

une mère et son fils, un frère et sa sœur ; et la haute vertu dans un naturel sensible à ces passions, qu'elle dompte sans les affaiblir, et à qui elle laisse toute leur force pour en triompher plus glorieusement, a quelque chose de plus touchant, de plus élevé et de plus aimable que cette médiocre bonté, capable d'une faiblesse et même d'un crime, où nos anciens étaient contraints d'arrêter le caractère le plus parfait des rois et des princes dont ils faisaient leurs héros, afin que ces taches et ces forfaits, défigurant ce qu'ils leur laissaient de vertu, s'accommodassent au goût et aux souhaits de leurs spectateurs, et fortifiassent l'horreur qu'ils avaient conçue de leur domination et de la monarchie.

Rodrigue suit ici son devoir sans rien relâcher de sa passion, Chimène fait la même chose, à son tour, sans laisser ébranler son dessein par la douleur où elle se voit abîmée par là ; et si la présence de son amant lui fait faire quelque faux pas, c'est une glissade dont elle se relève à l'heure même ; et non seulement elle connaît si bien sa faute qu'elle nous en avertit, mais elle fait un prompt désaveu de tout ce qu'une vue si chère lui a pu arracher. Il n'est point besoin qu'on lui reproche qu'il lui est honteux de souffrir l'entretien de son amant après qu'il a tué son père ; elle avoue que c'est la seule prise que la médisance aura sur elle. Si elle s'emporte jusqu'à lui dire qu'elle veut bien qu'on sache qu'elle l'adore et le poursuit, ce n'est point une résolution si ferme, qu'elle l'empêche de cacher son amour de tout son possible lorsqu'elle est en la présence du Roi. S'il lui échappe de l'encourager au combat contre Don Sanche par ces paroles :

Sors vainqueur d'un combat dont Chimène est le prix,

elle ne se contente pas de s'enfuir de honte au même moment ; mais sitôt qu'elle est avec Elvire, à qui elle ne déguise rien de ce qui se passe dans son âme, et que la vue de ce cher objet ne lui fait plus de violence, elle forme un souhait plus raisonnable, qui satisfait sa vertu et son amour tout ensemble, et demande au Ciel que le combat se termine

Sans faire aucun des deux ni vaincu ni vainqueur.

Si elle ne dissimule point qu'elle penche du côté de Rodrigue, de peur d'être à Don Sanche, pour qui elle a de l'aversion, cela ne détruit point la protestation, qu'elle a faite un peu auparavant, que malgré la loi de ce combat, et les promesses que le Roi a faites à Rodrigue, elle lui fera mille autres ennemis, s'il en sort victorieux. Ce grand éclat même qu'elle laisse faire à son amour après qu'elle le croit mort, est suivi d'une opposition vigoureuse à l'exécution de cette loi qui la donne à son amant, et elle ne se tait qu'après que le Roi l'a différée, et lui a laissé lieu d'espérer qu'avec le temps il y pourra survenir quelque obstacle. Je sais bien que le silence passe d'ordinaire pour une marque de consentement; mais quand les rois parlent, c'en est une de contradiction : on ne manque jamais à leur applaudir quand on entre dans leurs sentiments; et le seul moyen de leur contredire avec le respect qui leur est dû, c'est de se taire, quand leurs ordres ne sont pas si pressants qu'on ne puisse remettre à s'excuser de leur obéir lorsque le temps en sera venu, et conserver cependant une espérance légitime d'un empêchement, qu'on ne peut encore déterminément prévoir.

Il est vrai que dans ce sujet il faut se contenter de tirer Rodrigue de péril, sans le pousser jusqu'à son mariage avec Chimène. Il est historique et a plu en son temps; mais bien sûrement il déplairait au nôtre; et j'ai peine à voir que Chimène y consente chez l'auteur espagnol, bien qu'il donne plus de trois ans de durée à la comédie qu'il en a faite. Pour ne pas contredire l'histoire, j'ai cru ne me pouvoir dispenser d'en jeter quelque idée, mais avec incertitude de l'effet[1], et ce n'était que par là que je pouvais accorder la bienséance du théâtre avec la vérité de l'événement.

Les deux visites que Rodrigue fait à sa maîtresse ont quelque chose qui choque cette bienséance de la part de celle qui les souffre ; la rigueur du devoir voulait qu'elle refusât de lui parler et s'enfermât dans son cabinet, au lieu de l'écouter ; mais permettez-moi de dire avec un des premiers esprits de notre siècle[2], « que leur conversation est remplie de si beaux sentiments, que plusieurs n'ont pas connu ce défaut, et que ceux qui l'ont connu l'ont toléré ». J'irai plus outre, et dirai que tous presque ont souhaité que ces entretiens se fissent ; et j'ai remarqué aux premières représentations qu'alors que ce malheureux amant se présentait devant elle, il s'élevait un certain frémissement dans l'assemblée, qui marquait une curiosité merveilleuse et un redoublement d'attention pour ce qu'ils avaient à se dire dans un état si pitoyable. Aristote dit qu'« il y a des absurdités qu'il faut laisser dans un poème, quand on peut espérer qu'elles seront bien reçues ; et il est du devoir du poète, en ce cas, de les couvrir de tant de brillants qu'elles puissent éblouir[3] ». Je laisse au jugement de mes auditeurs si je me suis assez bien acquitté de ce devoir pour justifier par là ces deux scènes. Les pensées de la première des deux sont quelquefois trop spirituelles pour partir de personnes fort affligées ; mais outre que je n'ai fait que la paraphraser de l'espagnol, si nous ne nous permettions quelque chose de plus ingénieux que le cours ordinaire de la passion, nos poèmes ramperaient souvent, et les grandes douleurs ne

---

1. L'argument vaut pour *Le Cid* remanié de 1660-1682, mais pas pour la version première de 1637, où Chimène acceptait le mariage, en demandant simplement un certain délai.

2. Il s'agit de l'abbé d'Aubignac, dans sa *Pratique du théâtre,* 1657, IV, II.

3. Aristote, *La Poétique,* XXIV.

mettraient dans la bouche de nos acteurs que des exclamations et des hélas. Pour ne déguiser rien, cette offre que fait Rodrigue de son épée à Chimène, et cette protestation de se laisser tuer par Don Sanche, ne me plairaient pas maintenant. Ces beautés étaient de mise en ce temps-là et ne le seraient plus en celui-ci. La première est dans l'original espagnol, et l'autre est tirée sur ce modèle. Toutes les deux ont fait leur effet en ma faveur; mais je ferais scrupule d'en étaler de pareilles à l'avenir sur notre théâtre.

J'ai dit ailleurs[1] ma pensée touchant l'Infante et le Roi; il reste néanmoins quelque chose à examiner sur la manière dont ce dernier agit, qui ne paraît pas assez vigoureuse, en ce qu'il ne fait pas arrêter le Comte après le soufflet donné, et n'envoie pas des gardes à Don Diègue et à son fils[2]. Sur quoi on peut considérer que Don Fernand étant le premier roi de Castille, et ceux qui en avaient été maîtres auparavant lui n'ayant eu titre que de comtes, il n'était peut-être pas assez absolu sur les grands seigneurs de son royaume pour le pouvoir faire. Chez Don Guillén de Castro, qui a traité ce sujet avant moi, et qui devait mieux connaître que moi quelle était l'autorité de ce premier monarque de son pays, le soufflet se donne en sa présence et en celle de deux ministres d'État, qui lui conseillent, après que le Comte s'est retiré fièrement et avec bravade, et que Don Diègue a fait la même chose en soupirant, de ne le pousser point à bout, parce qu'il a quantité d'amis dans les Asturies, qui se pourraient révolter et prendre parti avec les Mores dont son État est environné. Ainsi il se résout d'accommoder l'affaire sans bruit et recommande le secret à ces deux ministres, qui ont été seuls témoins de l'action. C'est sur cet exemple que je me suis cru bien fondé à le faire agir

1. Pour l'Infante dans le *Discours du poème dramatique*, pour le Roi dans l'*Examen de Clitandre*, et pour les deux dans l'*Examen d'Horace*.
2. Reproche soulevé par Scudéry et par l'Académie.

plus mollement qu'on ne ferait en ce temps-ci, où l'autorité royale est plus absolue. Je ne pense pas non plus qu'il fasse une faute bien grande de ne jeter point l'alarme de nuit dans sa ville, sur l'avis incertain qu'il a du dessein des Mores, puisqu'on faisait bonne garde sur les murs et sur le port ; mais il est inexcusable de n'y donner aucun ordre après leur arrivée et de laisser tout faire à Rodrigue. La loi du combat qu'il propose à Chimène, avant que de le permettre à Don Sanche contre Rodrigue, n'est pas si injuste que quelques-uns ont voulu le dire[1], parce qu'elle est plutôt une menace pour la faire dédire de la demande de ce combat qu'un arrêt qu'il lui veuille faire exécuter. Cela paraît en ce qu'après la victoire de Rodrigue il n'en exige pas précisément l'effet de sa parole et la laisse en état d'espérer que cette condition n'aura point de lieu.

Je ne puis dénier que la règle des vingt et quatre heures presse trop les incidents de cette pièce. La mort du Comte et l'arrivée des Mores s'y pouvaient entresuivre d'aussi près qu'elles font, parce que cette arrivée est une surprise qui n'a point de communication, ni de mesures à prendre avec le reste ; mais il n'en va pas ainsi du combat de Don Sanche, dont le Roi était le maître, et pouvait lui choisir un autre temps que deux heures après la fuite des Mores. Leur défaite avait assez fatigué Rodrigue toute la nuit pour mériter deux ou trois jours de repos, et même il y avait quelque apparence qu'il n'en était pas échappé sans blessures, quoique je n'en aie rien dit, parce qu'elles n'auraient fait que nuire à la conclusion de l'action.

Cette même règle presse aussi trop Chimène de demander justice au Roi la seconde fois. Elle l'avait fait le soir d'auparavant, et n'avait aucun sujet d'y retourner le lendemain matin pour en importuner le Roi, dont elle n'avait encore

1. Scudéry en particulier.

aucun lieu de se plaindre, puisqu'elle ne pouvait encore dire qu'il lui eût manqué de promesse. Le roman lui aurait donné sept ou huit jours de patience avant que de l'en presser de nouveau ; mais les vingt et quatre heures ne l'ont pas permis : c'est l'incommodité de la règle. Passons à celle de l'unité de lieu, qui ne m'a pas donné moins de gêne en cette pièce. Je l'ai placée dans Séville, bien que Don Fernand n'en ait jamais été le maître ; et j'ai été obligé à cette falsification pour former quelque vraisemblance à la descente des Mores, dont l'armée ne pouvait venir si vite par terre que par eau. Je ne voudrais pas assurer toutefois que le flux de la mer monte effectivement jusque-là ; mais, comme dans notre Seine il fait encore plus de chemin qu'il ne lui en faut faire sur le Guadalquivir pour battre les murailles de cette ville, cela peut suffire à fonder quelque probabilité parmi nous, pour ceux qui n'ont point été sur le lieu même.

Cette arrivée des Mores ne laisse pas d'avoir ce défaut, que j'ai marqué ailleurs [1], qu'ils se présentent d'eux-mêmes sans être appelés dans la pièce, directement ni indirectement, par aucun acteur du premier acte. Ils ont plus de justesse dans l'irrégularité de l'auteur espagnol : Rodrigue, n'osant plus se montrer à la Cour, les va combattre sur la frontière ; et ainsi le premier acteur les va chercher et leur donne place dans le poème, au contraire de ce qui arrive ici, où ils semblent se venir faire de fête exprès pour en être battus, et lui donner moyen de rendre à son roi un service d'importance, qui lui fasse obtenir sa grâce. C'est une seconde incommodité de la règle dans cette tragédie.

Tout s'y passe donc dans Séville, et garde ainsi quelque espèce d'unité de lieu en général ; mais le lieu particulier

---

1. Dans le *Discours du poème dramatique.*

change de scène en scène, et tantôt c'est le palais du Roi, tantôt l'appartement de l'Infante, tantôt la maison de Chimène, et tantôt une rue ou place publique. On le détermine aisément pour les scènes détachées, mais pour celles qui ont leur liaison ensemble, comme les quatre dernières du premier acte, il est malaisé d'en choisir un qui convienne à toutes. Le Comte et Don Diègue se querellent au sortir du palais, cela se peut passer dans une rue ; mais, après le soufflet reçu, Don Diègue ne peut pas demeurer en cette rue à faire ses plaintes, attendant que son fils survienne, qu'il ne soit tout aussitôt environné de peuple, et ne reçoive l'offre de quelques amis. Ainsi il serait plus à propos qu'il se plaignît dans sa maison, où le met l'Espagnol, pour laisser aller ses sentiments en liberté ; mais en ce cas il faudrait délier les scènes comme il a fait. En l'état où elles sont ici, on peut dire qu'il faut quelquefois aider au théâtre et suppléer favorablement ce qui ne s'y peut représenter. Deux personnes s'y arrêtent pour parler, et quelquefois il faut présumer qu'ils marchent, ce qu'on ne peut exposer sensiblement à la vue, parce qu'ils échapperaient aux yeux avant que d'avoir pu dire ce qu'il est nécessaire qu'ils fassent savoir à l'auditeur. Ainsi, par une fiction de théâtre, on peut s'imaginer que Don Diègue et le Comte, sortant du palais du Roi, avancent toujours en se querellant, et sont arrivés devant la maison de ce premier lorsqu'il reçoit le soufflet qui l'oblige à y entrer pour y chercher du secours. Si cette fiction poétique ne vous satisfait point, laissons-le dans la place publique, et disons que le concours du peuple autour de lui après cette offense, et les offres de service que lui font les premiers amis qui s'y rencontrent, sont des circonstances que le roman ne doit pas oublier ; mais que ces menues actions ne servant de rien à la principale, il n'est pas besoin que le poète s'en embarrasse sur la scène. Horace l'en dispense par ces vers :

Hoc amet, hoc spernat promissi carminis auctor,
Pleraque negligat[1].

Et ailleurs :

Semper ad eventum festinet[2].

C'est ce qui m'a fait négliger, au troisième acte, de donner à Don Diègue, pour aide à chercher son fils, aucun des cinq cents amis qu'il avait chez lui. Il y a grande apparence que quelques-uns d'eux l'y accompagnaient, et même que quelques autres le cherchaient pour lui d'un autre côté ; mais ces accompagnements inutiles de personnes qui n'ont rien à dire, puisque celui qu'ils accompagnent a seul tout l'intérêt à l'action, ces sortes d'accompagnements, dis-je, ont toujours mauvaise grâce au théâtre, et d'autant plus que les comédiens n'emploient à ces personnages muets que leurs moucheurs de chandelles et leurs valets, qui ne savent quelle posture tenir.

Les funérailles du Comte étaient encore une chose fort embarrassante, soit qu'elles se soient faites avant la fin de la pièce, soit que le corps ait demeuré en présence dans son hôtel, attendant qu'on y donnât ordre. Le moindre mot que j'en eusse laissé dire, pour en prendre soin, eût rompu toute la chaleur de l'attention, et rempli l'auditeur d'une fâcheuse idée. J'ai cru plus à propos de les dérober à son imagination par mon silence, aussi bien que le lieu précis de ces quatre scènes du premier acte dont je viens de parler ; et je m'assure que cet artifice m'a si bien réussi, que peu de personnes ont pris garde à l'un ni à l'autre, et que la plupart des spectateurs, laissant emporter leurs esprits à ce qu'ils

---

1. « Que l'auteur d'un poème promis aime ceci, dédaigne cela, et néglige maints détails » (*Art poétique,* v. 44-45). Libre citation : Corneille intervertit les deux vers, et remplace « differat » par « negligat ».

2. « Qu'il se hâte toujours vers ce dénouement » (*ibid.,* v. 148).

ont vu et entendu de pathétique en ce poème, ne se sont point avisés de réfléchir sur ces deux considérations.

J'achève par une remarque sur ce que dit Horace que ce qu'on expose à la vue touche bien plus que ce qu'on n'apprend que par un récit[1].

C'est sur quoi je me suis fondé pour faire voir le soufflet que reçoit Don Diègue, et cacher aux yeux la mort du Comte, afin d'acquérir et conserver à mon premier acteur l'amitié des auditeurs, si nécessaire pour réussir au théâtre. L'indignité d'un affront fait à un vieillard, chargé d'années et de victoires, les jette aisément dans le parti de l'offensé et cette mort, qu'on vient dire au Roi tout simplement sans aucune narration touchante, n'excite point en eux la commisération qu'y eût fait naître le spectacle de son sang, et ne leur donne aucune aversion pour ce malheureux amant, qu'ils ont vu forcé par ce qu'il devait à son honneur d'en venir à cette extrémité, malgré l'intérêt et la tendresse de son amour.

1. *Ibid.*, v. 180-181.

Du tableau au texte

Valérie Lagier

Du tableau au texte

Portrait équestre du duc de Lerma
de Pierre-Paul Rubens

… de prestigieux ancêtres espagnols…

Le Cid, né sous la plume de Corneille et joué pour la première fois en 1637, peut se prévaloir de prestigieux ancêtres, aussi bien dans l'histoire que dans la littérature espagnole. Son héros, Rodrigue, incarnant un certain idéal de courage et de vertu chevaleresque, emprunte les principaux traits de sa personnalité et les faits marquants de son parcours épique à Rodrigo Díaz de Bívar, plus connu sous le nom de Cid Campeador, qui s'illustre en 1094 en libérant Valence du joug des Almoravides. Véritable symbole de la résistance de la chrétienté à l'Islam, cette figure historique de la *Reconquista* n'en a pas moins gagné ses galons d'homme de guerre comme mercenaire à travers toute l'Espagne, à la solde des princes chrétiens et musulmans qui lui décernent le titre de Cid, *sidi* signifiant en arabe « mon seigneur ». Car contrairement au héros de Corneille, le véritable Cid a conquis sa gloire militaire après un exil, imposé par le nouveau monarque Alphonse VI le Vaillant, non sans lui avoir donné auparavant comme épouse sa cousine doña Jimena. Ce n'est donc ni pour expier un crime ni pour se racheter aux yeux de sa belle que le modèle historique de Rodrigue se lance dans la bataille contre les Maures. Ses exploits deviennent très vite légendaires et dès 1140, un poème épique anonyme, *El Cantar de mìo Cid*, exalte ses vertus héroïques, celles d'un homme de condition inférieure surpassant les nobles de haut rang de son temps par son courage, sa loyauté et sa générosité envers sa famille, son roi et Dieu. Vers le milieu du XIVe siècle et au début du XVe siècle, deux textes anonymes en vers et en prose, le *Cantar de Rodrigo*, célèbrent ses exploits. Et toute l'histoire littéraire de la péninsule ibérique au Moyen Âge et à la Renaissance est jalonnée de romances et autres récits consacrés à ce héros national incarnant la victoire de la chrétienté contre l'Islam, en un temps où se poursuit la reconquête des territoires au profit des Espagnols. Ainsi, en 1492, la chute du dernier royaume musulman de Abou Abdillah marque la fin de la *Reconquista* militaire. Dès lors, les Rois catholiques combattent l'Islam par l'évangélisation. Et en 1525, Charles Quint rend obligatoire la conversion. Les musulmans convertis porteront désormais le nom de « Morisques » et seront durement taxés, brimés et dépouillés.

Lorsque en 1618, Guillén de Castro y Bellvís consacre au Cid deux pièces en trois actes et en vers, *Las Mocedades del Cid* (*Les Enfances du Cid*) et *Las Hazanas del Cid* (*Les Entreprises de jeunesse*), le dernier épisode d'une guerre de religion vieille de six siècles vient de s'achever par la déportation des derniers Morisques hors d'Espagne en 1609. L'artisan de cette expulsion n'est autre que le duc de Lerma, principal conseiller du roi Philippe III, qui gouverne l'Espagne d'une main de maître entre 1598 et 1618, portraituré ici par Rubens. À la lumière de cette actualité historique, l'œuvre de Guillén de Castro, qui sert de principale inspiration à la pièce de Corneille, prend un relief particulier. De ces résonances politiques, rien ne semble avoir transpiré dans le texte français, même si Corneille emprunte à son illustre prédécesseur la plus grande partie de la trame de sa tragi-comédie : l'offense faite au père de Rodrigue par le comte Lozano, père de Jimena ; le duel entre Rodrigue et le père de sa bien-aimée ; l'arbitrage royal ; le combat rédempteur qui couvre Rodrigue de gloire et lui confère le nom de « Cid » ; le stratagème du roi pour éprouver les sentiments de Jimena et enfin le combat final remporté par Rodrigue qui gagne ainsi la main de sa belle. Comme son modèle espagnol, Corneille a construit son récit sur le conflit intérieur du héros, tiraillé entre les devoirs de son sang et les désirs de son cœur, auquel répondent les dilemmes qui agitent pareillement l'Infante et Chimène. Et cet orgueil du sang, qui imprègne les actions de chacun des personnages, s'incarne à merveille dans le portrait équestre du duc de Lerma, ce « Cid » moderne, peint en 1603 par Rubens lors d'un séjour de l'artiste dans la péninsule ibérique.

… l'orgueil du cavalier commandant ses troupes…

Portrait d'apparat, cette peinture est avant tout une savante construction symbolique qui tente de donner du principal conseiller du roi une vision à la fois synthétique et rigoureusement contrôlée. Car le portrait d'un grand de ce monde est, à cette époque, un judicieux compromis entre les aspirations du modèle et le talent du peintre. Il reflète d'ailleurs souvent plus l'image que le personnage veut donner de lui-même que la vision intérieure de l'artiste. Chef de guerre et de gouvernement, le duc de Lerma est ici montré dans tout l'orgueil du cavalier commandant ses troupes, arborant fièrement son bâton de maréchal et s'éloignant de la bataille qui fait rage à ses pieds avec la tranquille assurance d'un vainqueur. Pourtant, c'est avant tout comme un fervent diplomate, attaché à retrouver pour le royaume d'Espagne une paix durable avec ses principaux ennemis, l'Angleterre et la Hollande, que Francisco de Sandoval y Rojas, duc de Lerma, est passé à la postérité. Mais le traité de paix avec l'Angleterre a été signé en 1604 et la trêve qui met fin à un conflit de près de douze ans avec les Provinces-Unies n'a débuté qu'en 1609, soit respectivement un an et six ans après le séjour de Rubens en Espagne et la création du portrait. En 1603, la guerre contre les protestants des Provinces-Unies et leurs alliés, l'Angleterre et la France, est encore un sujet d'actualité. Rubens, envoyé par le duc de Mantoue pour effectuer une mission diplomatique auprès du roi d'Espagne Philippe III, est sollicité lors de son séjour pour réaliser ce portrait équestre qui adopte le modèle illustre fixé par Titien pour le portrait de *Charles Quint à la bataille de Mühlberg* (1548). Rubens s'en dégage pourtant en proposant une vision frontale du modèle et de sa monture, instaurant un lien visuel entre leur regard et celui du spectateur. L'antérieur levé du magnifique andalou évoque le mouvement élégant d'un piaffer, une allure de haute école dans la plus pure tradition de l'équitation espagnole, signe d'une évidente maîtrise du cavalier. L'art équestre, poussé au plus haut niveau d'exigence, est une des fiertés espagnoles, et tout gentilhomme digne de ce nom se doit d'en connaître les arcanes. Ainsi, Corneille nous laisse entendre qu'à l'instar de tout noble de son rang, Rodrigue n'ignore rien de cet art puisqu'il est à plusieurs reprises appelé « chevalier » en lieu et place de « gentilhomme ». Léonor, la gouvernante de l'Infante, s'insurge devant les sentiments de sa maîtresse qui lui font « *choisir pour [son] amant un simple Chevalier !* » (acte I, scène 3). Le comte, au cours de sa querelle avec le jeune homme, le nomme pareillement : « *un chevalier parfait* » (acte II, scène 2). C'est à cheval que s'effectue le combat du roi et des nobles, et le métier des armes ne s'apprend pas dans les livres, mais dans le bruit et la poussière des champs de bataille, cavalier et monture unis dans une même sueur. C'est bien ainsi en tout cas que le comte, dans sa querelle avec Don Diègue, conçoit l'éducation d'un prince (acte I, scène 4) :

> « *Montrez-lui comme il faut s'endurcir à la peine,*
> *Dans le métier de Mars se rendre sans égal,*
> *Passer les jours entiers et les nuits à cheval,*
> *Reposer tout armé, forcer une muraille…* »

Équitation et combat sont donc deux privilèges des grands de ce monde, et seuls à posséder des chevaux, ils sont aussi les seuls à pouvoir être portraiturés en selle. Ce modèle de portrait deviendra au milieu du XIVe siècle un privilège royal, mais, en 1603, quelques aristocrates de très haut rang accèdent à ce type de représentation qui n'est pas sans poser à l'artiste un certain nombre de problèmes. Il faut bien sûr envisager de faire poser la monture indépendamment de son cavalier, et une illustration particulièrement éloquente de ce procédé se trouve dans le dessin préparatoire au portrait qui se trouve au Louvre. Si la composition est identique à la peinture, le visage du modèle n'est pas celui du duc, mais d'un inconnu qui s'est prêté au dur exercice de la pose, vêtu des chausses et de l'armure. Le duc n'a accordé au peintre que le temps de fixer sur la composition préexistante les traits de son visage, élégamment entouré d'une fraise à godrons. Cette pratique n'avait à l'époque rien d'exceptionnel, car il était inconcevable qu'un artiste dispose à sa guise du temps d'un grand personnage, et malgré son talent, Rubens ne peut prétendre appartenir à la même classe que son modèle, favori du roi, marquis de Denia, élevé au rang de duc par le souverain, fier d'arborer, comme tous les nobles espagnols de son temps, « la pureté et la limpidité du sang » des « vieux-chrétiens ».

...la pureté du sang...

Car c'est bien au nom de ce principe de la supériorité des chrétiens sur les musulmans, même convertis, appelés péjorativement « morisques », que le duc de Lerma se lancera, six ans après ce portrait, dans leur déportation hors d'Espagne. Pour mieux comprendre les raisons de cette décision, il faut remonter le temps. En 1535, le chapitre de la cathédrale de Cordoue demande au pape Paul III d'instaurer une condition de « propreté de sang » (*limpieza de sangre*) pour pouvoir accéder à un poste rémunéré en son sein. Charles Quint obtient du Pape, sous la pression, que cette condition soit appliquée à l'ensemble du royaume, obligeant toute personne désirant obtenir un poste rémunéré en Espagne à démontrer qu'elle n'a aucun juif ou musulman dans ses ancêtres depuis au moins quatre générations. Le plus grand théoricien de ce « racisme d'État » n'est autre qu'un dominicain, membre du tribunal d'Inquisition de Valence, Fray Jaime Bleda, qui va aider le duc de Lerma à convaincre Philippe III de la nécessité d'expulser 500 000 personnes, hommes, femmes et enfants, hors du royaume, sous le seul prétexte que leur sang n'est pas « pur ». Les écrits d'Escobar del Corro au XVIIe siècle ne trahissent de leur côté aucune ambiguïté sur l'assimilation entre « race » et religion : « *La pureté et la limpidité du sang proviennent des ancêtres qui, après avoir reçu la vraie foi catholique du Christ, notre Seigneur, dans le baptême, l'ont conservée avec constance et courage sans jamais s'en écarter.* » À la lumière de ces théories, la pièce de Corneille acquiert un relief inattendu. En effet, c'est au nom du « sang » que tous les personnages agissent, et ce mot est celui qui a le plus d'occurrences dans l'ensemble du récit. Il s'entend d'ailleurs dans les deux acceptions, désignant aussi bien la lignée que le sang proprement dit. D'autres expressions — « race », « maison », « rang », « bien né », « aïeux », « héritier », « famille », « honneur » — sont employées dans le même sens et sont tour à tour convoquées pour justifier les actions des différents personnages. Dès l'entrée, Elvire, la suivante de Chimène, rapportant les propos du comte, énonce le poids de la lignée dans les vertus des deux prétendants de la jeune fille (acte I, scène 1) :

> « *Tous deux formés d'un sang noble, vaillant, fidèle,*
> *Jeunes, mais qui font lire aisément dans leurs yeux*
> *L'éclatante vertu de leurs braves aïeux.* »

L'Infante se défend d'aimer au-dessous d'elle-même, invoquant son rang comme frein à son bonheur (acte I, scène 3) :

> « *Un noble orgueil m'apprend qu'étant fille de roi,*
> *Tout autre qu'un Monarque est indigne de moi.* »

Le différent entre le comte et Don Diègue est une querelle de préséance, que le comte formule ainsi : « ... *la faveur du Roi / Vous élève en un rang qui n'était dû qu'à moi*». Et le soufflet qui en découle est vécu par Don Diègue comme un « ... *affront, / Le premier dont (sa) race ait vu rougir son front*» (acte I, scène 4). C'est au nom du sang que Don Diègue demande à Rodrigue de le venger, et de «*réparer [sa] honte*» (acte I, scène 6). Quand Rodrigue affronte le comte, il lui rappelle qu'il est le digne fils de son père : «*Cette ardeur que dans les yeux je porte, / Sais-tu que c'est son sang ?...* » (acte II, scène 2). Don Diègue, lorsqu'il retrouve Rodrigue et lui exprime sa fierté de trouver en lui un fils digne de la haute idée qu'il se fait de lui-même, en appelle encore à la glorieuse vertu des ancêtres : « ... *ton illustre audace / Fait bien revivre en toi les Héros de ma race*» (acte III, scène 6). C'est encore au nom du « sang » que Chimène réclame vengeance au roi dans l'acte II, « *Ce sang qui tant de fois garantit vos murailles, / Ce sang qui tant de fois vous gagna des batailles*». Enfin lorsque Rodrigue se présente devant le roi, il n'est pas seulement le héros qui a vaincu les Maures, il est aussi le « *Généreux héritier d'une illustre famille / Qui fut toujours la gloire et l'appui de Castille, / Race de tant d'aïeux en valeur signalés*» (acte IV, scène 3). Aucun des personnages n'agit selon sa volonté, tous vivent selon un code d'honneur extrêmement strict, auquel toute aspiration personnelle est sacrifiée. L'amour, où s'exprime le désir individuel, est dans l'échelle des valeurs quantité négligeable, surtout pour Don Diègue qui déclare : «*Nous n'avons qu'un honneur, il est tant de maîtresses ; / L'amour n'est qu'un plaisir, l'honneur est un devoir*» (acte III, scène 6). Seul Rodrigue tente de concilier amour et devoir, plaçant ses engagements d'amant au même degré d'élévation que ses devoirs de fils. Si la morgue de l'aristocratie espagnole qui imprègne le récit et sous-tend l'action de tous les personnages trouve une parfaite illustration dans le duc de Lerma, et si ce dernier partage avec Rodrigue une culture commune, celle des « hommes bien nés », il n'en subsiste pas moins entre eux une profonde différence de valeurs. Bien sûr, c'est au nom du « sang » que Rodrigue assassine le comte et qu'il combat les Maures, et c'est au nom du « sang » que le duc de Lerma éradique les populations musulmanes du territoire espagnol. Mais, si le duc est un « Cid », « seigneur » combattant des Maures, il n'a pour lui nul amour absolu pour racheter à nos yeux la première épuration ethnique de l'histoire.

Le texte

en perspective

Dorian Astor

Vie littéraire

Corneille et la naissance de l'Âge classique

POUR COMPRENDRE l'extraordinaire succès du *Cid*, il faut replacer son apparition dans le contexte culturel de la première moitié du XVIIe siècle français. Période de troubles politiques, de débats intellectuels, de querelles passionnées, les années 1630 correspondent à un foisonnement d'idées et d'œuvres originales. Ces années représentent aussi un tournant décisif vers une époque nouvelle, marquée par le triomphe de la monarchie et une certaine unité esthétique, et que l'on nommera l'Âge classique ou le Grand Siècle. Corneille, avec *Le Cid*, se situe à ce moment charnière entre la fin d'une époque et le début d'une autre.

1.

Un théâtre en liberté

Au tout début du siècle, dans une France traumatisée par la guerre civile entre catholiques et protestants, le théâtre est en crise. Les pièces à succès sont souvent grossières, et les troupes ambulantes de passage à Paris (il n'y existe qu'un seul théâtre permanent, à l'Hôtel de Bourgogne) attirent souvent un public amateur de jeu, de vin et de prostituées. Le théâtre de cour en revanche, réservé à l'entourage des grands princes, privilégie les divertissements somptueux, les ballets en particulier. Le genre noble de la tragédie, que la Renaissance avait essayé de ressusciter sur le modèle antique, s'est transformé en spectacle outrancier, laissant libre cours aux sujets sanglants, aux actions violentes, aux intrigues complexes et parfois incohérentes. Autant dire que le théâtre attire alors la suspicion des autorités religieuses et politiques, qui tentent de censurer des pratiques jugées immorales ou satiriques.

Cette situation évolue rapidement aux alentours de 1630, sous l'impulsion du tout-puissant ministre de Louis XIII, le cardinal de Richelieu, qui instaure une politique de mécénat visant à protéger et soutenir officiellement le théâtre. La progressive sédentarisation des troupes et leur multiplication, l'amélioration des conditions techniques de représentation, le respect nouveau accordé aux artistes, sont autant de facteurs d'un progrès qualitatif du théâtre. Cette politique culturelle ne s'explique pas seulement par le goût personnel du cardinal pour les arts, mais aussi par une volonté de faire de la scène dramatique un reflet de la puissance de l'état monarchique : l'amorce d'une propagande royale se donnant pour but de développer un art officiel digne de la majesté et de la gloire françaises, sera le coup d'envoi d'un rapport étroit entre les arts et la politique, qui atteindra son apogée sous le règne suivant de Louis XIV.

Parmi les genres dramatiques, la tragi-comédie s'impose. Au temps des Latins, la tragi-comédie était une pièce où dieux, héros et rois se trouvaient confrontés à des aventures comiques. En France, avec Mairet (1604-

1686), Rotrou (1609-1650), et bientôt Corneille, la tragi-comédie connaît un succès immense : elle se caractérise, non par des aventures comiques, mais par une influence du genre romanesque et pastoral sur la tragédie. Le genre pastoral met en scène, au théâtre ou dans les romans, des bergers raffinés dans une nature idéalisée, où ils sont confrontés aux seuls tourments amoureux, exprimés dans un langage fleuri et galant. La pastorale trahit la nostalgie d'un Âge d'or. Ainsi, les grands héros tragiques sont confrontés à des amours contrariées, rivalités et rebondissements de toutes sortes. Une telle matière ne pouvait convenir qu'à un théâtre « irrégulier », c'est-à-dire un genre hybride sans unité formelle, où la règle est la diversité : diversités des lieux, d'intrigues complexes et entrecroisées dont la durée fictive est extensible à l'infini, mélange des tons etc. Et c'est précisément Corneille qui s'est illustré, en 1636, dans une pièce éclatante de libertés et d'audaces : *L'Illusion comique*. Mais Corneille sent bien que le théâtre français cherche son identité, et en présentant *Le Cid* en 1637, il crée l'événement.

2.

La doctrine classique et la Querelle du *Cid*

1. *La formation du classicisme*

Le retour à l'Antiquité avait été au cœur du mouvement culturel de la Renaissance. Aussi, au début du XVIIe siècle, les théoriciens de la littérature (les « doctes »), académiciens ou poètes reconnus qui se mêlent d'édicter des règles dramatiques pour endiguer les excès du théâtre, se tournent-ils vers la *Poétique* d'Aristote : au IVe siècle av. J.-C., le philosophe grec avait fixé, d'après l'usage, les règles et les conventions de la tragédie, un siècle après l'apogée de la tragédie athénienne (Eschyle, Sophocle et Euripide). La *Poétique* d'Aristote, interprétée selon les besoins du moment, va devenir le code esthétique par excellence. La doctrine aristotélicienne est alors complétée par l'*Art poétique* du poète latin Horace : les points essentiels en sont la nécessité d'une dimension morale (« l'utilité ») et le respect de règles formelles strictes propres à chaque genre, visant à l'harmonie dans la structure des œuvres.

L'opposition entre une esthétique prônant la liberté, l'irrégularité, l'excès d'une part, et une autre qui exige la contrainte formelle, la recherche de règles strictes et l'équilibre d'autre part, est très nette au début du XVIIe siècle. Ces deux esthétiques, qui s'opposent mais s'entremêlent de manière complexe tout au long du siècle, seront qualifiées plus tard par les historiens de l'art et de la littérature : la première est dite *baroque* (d'après un mot portugais désignant une perle irrégulière), la seconde est appelée *classique* (d'après l'Antiquité classique). Ce sont ces nouveaux théoriciens classiques qui vont se manifester ostensiblement lors de la création du *Cid*.

2. *La Querelle du* Cid

C'est que Corneille, stimulé par le succès des premières représentations et la faveur de Louis XIII, n'hésite pas à exprimer haut et fort son indépendance et son autosatisfaction (*L'Excuse à Ariste*, vers 47-50) :

> Je satisfais ensemble et peuple et courtisans,
> Et mes vers en tous lieux sont mes seuls partisans ;
> Par leur seule beauté ma plume est estimée :
> Je ne dois qu'à moi seul toute ma renommée [...]

Jean Mairet, théoricien des règles classiques et auteur de la première tragédie régulière (*Sophonisbe*, 1634), publie plusieurs pamphlets qui accusent Corneille d'avoir plagié l'Espagnol Guillén de Castro, « l'auteur du vrai Cid ». Le drame de Guillén de Castro, *Los Mode-dades del Cid* (*Les Enfances du Cid*), a été créé à Madrid en 1618. Il racontait les aventures d'un chevalier qui avait réellement existé. De son côté, l'auteur dramatique Scudéry s'emploie à prouver que la pièce ne vaut rien, et surtout qu'elle ne respecte pas les règles classiques de la tragédie (nous verrons lesquelles dans « L'écrivain au travail »). Chacun prend parti pour ou contre Corneille, et l'affaire est portée devant l'Académie française, créée en 1634 par Richelieu pour édicter les règles de la grammaire et de la poétique, veiller à la pureté de la langue française, et arbitrer les polémiques littéraires. L'Académie va rendre un jugement mitigé : elle rejette l'accusation de plagiat, mais reconnaît que la pièce, malgré son « agrément inexplicable », a beaucoup « d'irrégularités », et contredit donc les règles.

Corneille, fier et indépendant, a été sans doute affecté par cette querelle ; mais il a surtout saisi cette occasion pour repenser progressivement son écriture : outre un remaniement assez important du *Cid* lui-même (dans la version de 1660, la « tragi-comédie » devient « tragédie », et presque un quart de la pièce est modifié), Corneille effectue un passage impressionnant à la tragédie régulière, avec *Horace* (1640), *Cinna* (1641) et *Polyeucte* (1642), et recueille le succès que l'on sait, qui en fait le « Prince des auteurs » ou « le Grand Corneille », selon les termes de ses contemporains, c'est-à-dire le plus grand tragédien français du XVIIe siècle, qui n'aura de rival que Racine.

3.

Le Cid et la politique

1. *Don Fernand et ses grands seigneurs*

Don Fernand est le premier roi de Castille : son pouvoir est ambigu, car il n'est encore qu'un roi médiéval, c'est-à-dire le seigneur le plus puissant parmi d'autres seigneurs (c'est le système féodal, qui lie suzerain et vassaux). En même temps, il cherche à établir un pouvoir monarchique de type moderne, comme voulait l'incarner Louis XIII, c'est-à-dire un monarque régnant sur l'aristocratie comme sur tous ses sujets, unique source du pouvoir. L'origine de la querelle entre Don Diègue et le comte réside dans le choix que le Roi a fait de Don Diègue pour être le précepteur de son fils. Dans une monarchie moderne, la seule faveur royale fait office de loi, et personne n'aurait pu contester le choix du Roi. Mais pour le grand seigneur féodal qu'est le comte, sa valeur guerrière et sa noblesse devraient conduire automatiquement à l'obtention de cette charge. Le Roi s'emporte contre la désobéissance du comte (vers 563-566) :

> Justes Cieux ! Ainsi donc un sujet téméraire
> A si peu de respect, et de soin de me plaire !
> Il offense Don Diègue, et méprise son Roi !
> Au milieu de ma Cour il me donne la loi !

Les mots employés sont significatifs : un « sujet », même un grand capitaine héroïque, doit avoir du « respect » et « plaire » à son roi. Seul le Roi fait « la loi ». Don Sanche dans sa défense du comte résume au contraire toute la mentalité féodale des grands seigneurs (vers 585-586) :

> Qu'une âme accoutumée aux grandes actions
> Ne se peut abaisser à des submissions[1].

Don Rodrigue, de son côté, en combattant contre les Maures, a consolidé le pouvoir royal. Mais il devient par là même un héros qui a eu entre ses mains tout le destin du royaume. Ainsi, dans sa reconnaissance, le Roi exprime pourtant l'ambiguïté du rapport hiérarchique entre monarque et grand seigneur (vers 1223-1224) :

> Pour te récompenser ma force est trop petite,
> Et j'ai moins de pouvoir que tu n'as de mérite.

Symboliquement donc, *Le Cid* représente sur la scène le moment où le dernier héros féodal transfère à son Roi les pouvoirs que lui ont conférés sa victoire. Avec cette pièce, nous sommes bien, du point de vue politique aussi, à un moment charnière du siècle.

2. *L'actualité politique du* Cid *: le duel*

Après l'instabilité de la Régence et des premières années du règne de Louis XIII (1610-1624), le ministère de Richelieu marque une reprise en main du royaume et un retour à l'ordre. Le cardinal mène à l'intérieur une répression active des contre-pouvoirs : il lutte contre les protestants d'une part, et contre les grands seigneurs qui fomentent de nombreux complots pour déstabiliser et affaiblir le pouvoir royal. Le sommet en sera la Fronde (1648-1652), révolte du Parlement et de la noblesse contre le pouvoir royal, sous la Régence de Mazarin et d'Anne d'Autriche, mère de Louis XIV. On assiste donc à un processus de centralisation qui annonce déjà le règne de Louis XIV.

---

1. Action de se soumettre en demandant pardon.

L'aristocratie avait hérité du système féodal une conception personnelle de la justice : dans les conflits qui opposaient les nobles, la notion d'honneur était centrale, et l'humiliation était lavée par un combat singulier où le vainqueur se rendait justice : le plus valeureux avait toujours raison, car Dieu avait conduit son bras, et le roi médiéval ne faisait que légitimer l'issue du combat. Depuis les années 1540, le duel n'a plus cette dimension religieuse et légale. Mais la noblesse du XVIIe siècle en garde la nostalgie, et fait du duel une justice privée. Les moralistes de l'époque décrivent le duel comme un fléau social, une folie collective et furieuse. Depuis 1602 pourtant, la monarchie est très sévère à l'égard de cette pratique, jugée crime de lèse-majesté et passible de mort.

On voit bien la résonance politique du *Cid* dans ce contexte : le duel de Rodrigue et du comte provoque non seulement le tragique d'un amour impossible, mais affirme un héroïsme aristocratique concurrent du pouvoir royal. L'héroïsme cornélien est donc fondé par des valeurs aristocratiques anciennes, qui seront la cause, quelques années plus tard, de la progressive désaffection du public, qui préférera à une morale archaïque la complexité psychologique des passions.

4.

Le Cid et la morale héroïque

On a vu que, dans *Le Cid,* les valeurs politiques de l'aristocratie sont à l'origine de conflits et d'enjeux de pouvoir. Mais ces valeurs politiques sont elles-mêmes fondées par des valeurs morales. Un héros est un être d'exception qui manifeste par ses actions la grandeur et la noblesse de sa nature. Il est « généreux » et « glorieux ».

1. *La générosité*

Le terme de générosité, au XVIIe siècle, n'a pas le même sens qu'aujourd'hui. L'adjectif « généreux », très fréquemment répété dans *Le Cid*, signifie d'abord : « de race noble » (du latin *gens* ou *genus* : « la race, la famille », prises au sens de lignée). C'est en effet la lignée qui définit l'aristocratie. Dans les années 1630 justement, la signification du mot va acquérir une dimension morale complémentaire : la générosité est la qualité d'un homme bien né qui sacrifie son bonheur personnel aux vertus morales les plus hautes. La notion de générosité est absolument centrale dans *Le Cid*. Elle se caractérise principalement par les deux éléments suivants :

— **l'hérédité** : il est toujours question, entre Rodrigue et son père, de la notion de « sang ». C'est par le sang familial que se transmet la valeur. Il y a donc aussi une correspondance directe entre l'honneur du père et celui du fils :

> Je reconnais mon sang à ce noble courroux,
> Ma jeunesse revit en cette ardeur si prompte,
> Viens mon fils, viens mon sang, viens réparer ma honte
> [...]
>
> (Don Diègue, v. 266-268)

> Je suis jeune, il est vrai, mais aux âmes bien nées
> La valeur n'attend pas le nombre des années.
>
> (Rodrigue, v. 407-408)

— **le sacrifice du bonheur personnel** : Don Diègue se préoccupe peu de l'amour de Rodrigue. Il n'y voit qu'un plaisir. Un héros généreux doit dépasser son intérêt particulier pour ne se soucier que de l'honneur, qui l'engage non seulement lui, mais sa lignée.

> Mais d'un si brave cœur éloigne ces faiblesses,
> Nous n'avons qu'un honneur, il est tant de maîtresses ;
> L'amour n'est qu'un plaisir, et l'honneur un devoir.
> (Don Diègue, v. 1067-1069)

2. *La notion de gloire : l'amour et le devoir en concurrence*

Le terme de gloire a aussi, au XVIIe siècle, un sens spécifique. Désignant à l'origine la « splendeur de la majesté divine », puis celle des rois, la gloire est appliquée par Corneille et ses contemporains aux héros tragiques, personnalités d'exception : c'est chez le héros la fière conscience de soi et l'affirmation de sa valeur propre. C'est une notion proche de celle d'orgueil. Mais elle reste positive chez Corneille, car elle est la manifestation de l'héroïsme aristocratique : la gloire impose au personnage — même si cela est contraire à ses goûts ou au code d'honneur — de se conformer à ses exigences intimes. Elle se distingue en cela de l'honneur, qui n'est dû qu'au mérite et au rang social héréditaire. La gloire est une donnée psychologique du héros.

Don Diègue déshonoré et Rodrigue amoureux s'opposent dans un conflit de générations : car pour Rodrigue, l'amour qu'il éprouve pour Chimène n'est pas seulement un plaisir ou un bonheur, il est lui aussi glorieux, expression de sa grandeur d'âme héroïque. Cette conception de l'amour a une double origine : elle est d'abord héritée de l'amour courtois du Moyen Âge, sentiment idéalisé du chevalier qui honore sa dame comme une maîtresse dont il est le vassal. Mais elle est aussi influencée par la poésie amoureuse de la Renaissance : dans un langage très sophistiqué, les amants expriment les contradictions des plaisirs et des souffrances de l'amour ; l'amour est comparé à une guerre, où l'on est blessé, où l'on peut mourir ou être victorieux. C'est pourquoi la « générosité » de Rodrigue et de Chimène, plus moderne que celle de leurs pères, s'applique aussi bien à l'honneur qu'à l'amour. C'est la source du fameux dilemme cornélien, contradiction insurmontable de la « gloire », qui reconnaît deux valeurs suprêmes et concurrentes.

> Réduit au triste choix ou de trahir ma flamme,
> Ou de vivre en infâme,
> Des deux côtés mon mal est infini.
>
> (Rodrigue, v. 307-309)

> Ma générosité doit répondre à la tienne,
> Tu t'es en m'offensant montré digne de moi,
> Je me dois par ta mort montrer digne de toi.
>
> (Chimène, v. 940-942)

L'écrivain à sa table de travail

Corneille face aux règles classiques

LA DOCTRINE CLASSIQUE, pour des raisons que nous avons évoquées plus haut, a instauré une série de règles formelles qui doivent définir la structure d'une tragédie. La grande préoccupation des classiques est un souci de cohérence, d'unité et de vraisemblance de l'action théâtrale. Aussi Corneille est-il confronté, en écrivant *Le Cid*, à un certain nombre de prescriptions théoriques : il est intéressant de voir comment ce grand auteur dramatique joue avec des règles qu'il veut bien respecter, à condition qu'elles ne deviennent jamais des contraintes extérieures à son génie créateur.

1.

Le Cid : tragi-comédie ou tragédie ?

Lorsque *Le Cid* paraît, en 1637, Corneille qualifie sa pièce de « tragi-comédie ». Dès 1648, il change le terme et le remplace par « tragédie ». En 1660 enfin, Corneille procède à des remaniements pour répondre aux exigences du genre tragique qu'il a choisi définitivement pour *Le Cid*. Il serait trop long d'en étudier les différentes versions. Mais ce qui importe, c'est de comprendre l'indécision générique de la pièce. Car Corneille a beaucoup joué sur cette ambiguïté entre tragédie et tragi-comédie ; elle a déclenché la fameuse « Querelle du *Cid* », mais c'est aussi d'elle que la pièce tire son originalité et sa beauté.

1. *Des éléments de tragi-comédie*

L'enchaînement des événements. Duels, vengeances, un héros coupable qui se fait pardonner en remportant une bataille importante, les quiproquos permis par les fausses morts du héros : autant d'éléments qui appartiennent au genre tragi-comique, qui aime les rebondissements et les actions éclatantes.

Un dénouement heureux. L'opposition jugée insurmontable entre les deux amants n'a de sens que s'ils peuvent être réunis *in extremis.* Il est typique de la tragi-comédie de terminer non seulement par un dénouement heureux, mais couronné par un mariage. D'ailleurs, en 1660, Corneille modifiera le dénouement pour laisser planer le doute si Chimène, après un temps de réflexion, acceptera ou non un tel mariage, jugé choquant dans une tragédie.

Le thème de l'amante ennemie. Le fait que la femme aimée par le héros doive devenir son ennemie est typique des tragi-comédies. Mais Corneille traite ici le thème de manière originale, plus tragique. Dans une tragi-comédie traditionnelle, où les jeux amoureux et galants sont importants, le héros essaie de contourner le conflit par un déguisement : il se fait aimer par celle qu'il aime en se faisant passer pour un autre. Dans *Le Cid* en revanche, Rodrigue ne se déguise pas, il se révèle par sa victoire contre les Maures ; et encore cet accomplissement de son identité suffit-il à peine à Chimène pour lui pardonner.

2. *Des éléments de tragédie*

La dimension historique de la pièce. La tragi-comédie emprunte traditionnellement ses sujets à des épisodes de roman ou à des pièces espagnoles. Si Corneille choisit un sujet espagnol, ce n'est pas une histoire de fantaisie, mais un sujet historique avec une dimension épique. Le Cid a réellement existé et il est devenu un mythe politique dans l'histoire espagnole[1].

L'importance du discours. Si l'action reste importante (duels, batailles), la part de la parole pure est très importante. Dans une tragédie, la parole acquiert une sorte d'autonomie par rapport à l'action. Prenons deux exemples :

a) Rodrigue est un homme d'action ; mais dans les stances (acte I, scène 7), on voit qu'il ne peut agir : il doit délibérer longuement pour peser le pour et le contre de chaque décision possible. C'est un monologue de délibération typique de la tragédie, même si la forme poétique de la stance, avec ses vers irréguliers, appartient encore à la tragi-comédie.

b) Chimène, elle, ne peut se battre. Elle exprime essentiellement le conflit dans ses discours. Elle utilise une rhétorique, c'est-à-dire un art du discours, qui est son mode d'action spécifique : Chimène est l'accusatrice de Rodrigue, son discours doit l'accuser et convaincre le roi, comme dans un réquisitoire judiciaire. La scène 5 de l'acte IV est une véritable scène de procès, où seule l'argumentation et l'émotion d'un discours peuvent

1. Voir Du tableau au texte, p. 117.

agir. Ce rôle central donné à la force persuasive de la parole est typique de la tragédie.

2.

Le Cid et la règle des trois unités

Le Cid a dérouté les contemporains : la pièce s'élève au-dessus de la tragi-comédie traditionnelle par une dimension tragique. Les critiques ont dû par conséquent se demander si l'œuvre respectait ou non les règles de la tragédie telle que la définissait la doctrine classique. Il faut donc se pencher à présent sur la règle aristotélicienne qu'on appelle règle des trois unités, qui concerne la cohérence du déroulement des événements de la tragédie, suivant trois critères : la durée de l'action (unité de temps), le lieu où elle se déroule (unité de lieu), et enfin la construction même de l'action (unité d'action).

1. *L'unité de temps*

Les événements de la tragédie ne peuvent être crédibles, pour les théoriciens classiques, que si le temps de l'action fictive coïncide le plus possible avec le temps de la représentation réelle. S'il est impossible qu'une action puisse se concentrer sur deux ou trois heures, il paraît raisonnable et plus crédible qu'elle se déroule entièrement en vingt-quatre heures (Corneille avait réclamé trente-six heures !). Ainsi, une action tragique, pour être contenue dans une journée, ne doit retenir que les événements et les sentiments essentiels.

Dans *Le Cid*, l'action est très riche en événements : le conseil du Roi a lieu le matin ; dans la journée, les pères se querellent, Rodrigue tue le comte au cours d'un duel, un procès a lieu. Dans la nuit, Rodrigue part combattre contre les Maures. Revenu victorieux à la Cour, il se bat en duel avec Don Sanche. Il faut pour tout cela au moins trente-six heures, et même dans ce cas, on reste étonné des réactions si rapides des personnages. Dans son « Examen du *Cid* », qu'il écrit en 1660, Corneille reconnaît « *que la règle des vingt et quatre heures presse trop les incidents* [les événements] *de cette pièce.* [...] *c'est l'incommodité de la règle* ». Mais Corneille a préféré enfreindre la règle que de renoncer à la richesse de composition de l'histoire dont il s'est inspiré.

2. *L'unité de lieu*

Le périmètre de l'action doit être strictement circonscrit, pour que la brièveté de l'action ne souffre pas du temps nécessaire aux déplacements. Si le théâtre baroque avait privilégié les changements de décor à vue (grâce aux « machines »), le lieu de la tragédie classique sera unique. Plus tard, Racine choisira une antichambre de palais et concentrera tous les événements dans ce lieu presque neutre.

Corneille, lui, va jouer sur les mots : « *Tout s'y passe donc dans Séville, et garde ainsi quelque espèce d'unité de lieu en général ; mais le lieu particulier change de scène en scène, et tantôt c'est le palais du Roi, tantôt l'appartement de l'Infante, tantôt la maison de Chimène, et tantôt une rue ou place publique* » (« Examen du *Cid* », 1660). Pour les quatre dernières scènes du premier acte, Corneille dit avoir délibérément refusé de préciser où elles se passaient, parce que leur enchaînement rendait un lieu unique invraisemblable. Le respect de l'unité de lieu est donc tout relatif.

3. *L'unité d'action*

L'unité d'action est la plus importante, elle justifie les deux premières unités. De l'exposition au dénouement, une pièce bien construite doit former un tout cohérent où chaque scène concourt au même accomplissement tragique : pas d'intrigues parallèles ni de digression. Au fond, peu importe le nombre de faits rapportés : le tout est qu'ils soient agencés de telle sorte que le déplacement ou la suppression de l'un d'entre eux disloquerait l'ensemble.

C'est pourquoi l'unité d'action est celle que respecte le plus Corneille : car elle fait la force et la beauté d'une pièce. Tous les événements visent à nourrir le conflit entre Rodrigue et Chimène. Pour les placer dans le dilemme tragique, il faut établir toute la structure qui permet la concurrence du devoir et de l'amour : un déshonneur et une vengeance de chaque côté. Pour conduire au dénouement, il faut résoudre la contradiction par la double victoire de Rodrigue, sur les Maures et sur Don Sanche. Seul l'épisode secondaire de l'Infante a encore été sujet à critique : car son amour, ses espoirs et son renoncement, s'ils ont une beauté toute tragique, ne modifient en rien l'action principale entre les deux amants ennemis, et restent une situation sans action : l'Infante est impuissante, et son destin reste statique tout au long de la pièce.

3.

Vraisemblance et bienséance dans *Le Cid*

1. *La règle des règles : vraisemblance et bienséance*

Depuis Aristote, on considérait que l'art devait imiter la nature : bien qu'artificielle, une œuvre d'art doit présenter une part de naturel, c'est-à-dire quelque chose de vrai ; elle doit ressembler au vrai, être « vraisemblable ». Pour être vraisemblable, une pièce de théâtre n'a pas besoin d'être « réaliste », mais doit rendre au spectateur l'illusion acceptable, et ne doit donc pas choquer sa raison : une action tragique doit pouvoir être possible.

Le vraisemblable est intimement lié à une autre notion importante, qui la complète : la bienséance. La bienséance (qui désigne, littéralement, « ce qui convient », « ce qui est convenable ») est pour l'auteur une double exigence : réaliser un accord harmonieux entre les diverses parties d'une œuvre ainsi qu'entre chaque partie et le tout : on parle alors de bienséance interne (c'est une vraisemblance de structure) ; rester d'autre part en harmonie avec le public dont il ne faut choquer ni le bon goût, ni la morale : on parle alors de bienséance externe (c'est une vraisemblance morale et sociale).

On a beaucoup reproché à Corneille, pendant et après la Querelle du *Cid*, de n'avoir souvent respecté dans sa pièce ni la vraisemblance ni la bienséance. On a vu que lorsque Corneille enfreint les règles d'unité, il choque la vraisemblance : tant d'événements ne peuvent se produire si rapidement, ni en un même lieu. Mais ce n'est pas le plus grave : car vraisemblance et bienséance vont de pair.

Par exemple, dans la scène 4 de l'acte III, Rodrigue qui vient de tuer le comte se présente chez Chimène, sa fille, et entre chez elle : ils ont un dialogue ensemble. Les critiques de Corneille ont jugé impossible que Rodrigue accoure chez la fille de sa victime, et que Chimène accepte de lui parler. Une telle rencontre, dans ces circonstances, est non seulement invraisemblable d'un point de vue psychologique (un meurtrier n'agirait pas ainsi, ni une fille qui vient de perdre son père), mais aussi choque la bienséance : une telle conduite est intolérable, elle va contre la morale.

Prenons un deuxième exemple : la perspective, au dénouement (acte V, scène 7), d'un mariage entre Chimène et Rodrigue, parut inconcevable. Par une subtile ironie, Corneille le souligne lui-même à travers les vers que prononce Chimène (v. 1832-1834) :

> Sire, quelle apparence [= quelle vraisemblance] à ce triste Hyménée,
> Qu'un même jour commence et finisse mon deuil,
> Mette en mon lit Rodrigue, et mon père au cercueil ?

L'ironie de ces vers est manifeste : un tel retournement est invraisemblable, tant d'événements en « un même jour » aussi, et le caractère choquant du mariage est souligné par un parallèle presque indécent entre le lit de l'amant et le cercueil du père. Corneille était bien décidé à imposer sa liberté face aux règles.

2. *Corneille et le vrai invraisemblable*

Corneille, en choisissant le sujet du *Cid*, a d'abord été attentif à la force des situations et la grandeur des caractères : il a composé une intrigue où les contradictions entre l'amour et le devoir, entre la « gloire » et la « générosité » élevaient l'action à une violence admirable des sentiments et des actions. Certes, les réactions des personnages paraissent invraisemblables et choquent la bienséance : mais elles choqueraient seulement de la part du commun des mortels. Car nous sommes en présence d'êtres d'exception, de personnalités dont la grandeur d'âme est extraordinaire : leurs réactions hors du commun sont donc vraisemblables parce que ce sont des êtres d'exception : des héros. L'esthétique de Corneille est celle d'une vraisemblance extraordinaire, comme les théoriciens de l'époque qualifiaient cette invraisemblable vérité. Corneille, irréprochable dans son argumentation, se ménage par ce coup de force une liberté unique.

4.

Corneille et son spectateur

1. *La terreur et la pitié ?*

Lorsque le texte de Corneille, pendant la Querelle, a été soumis à l'arbitrage de l'Académie, les doctes, tout en condamnant de nombreuses « irrégularités », ces infractions aux règles, ont dû reconnaître ce qui avait fait de la pièce un incontestable succès : ils parlent d'un « agrément inexplicable ». C'est que Corneille, en véritable homme de théâtre, ne prend pour juge que son public, et il n'a pour objectif que de lui plaire. Pour plaire au public, rien ne sert de respecter scrupuleusement des règles édictées par de savants interprètes d'Aristote, il faut susciter des émotions sublimes, source du plaisir esthétique. Pour la tradition aristotélicienne — et voilà encore une grande règle classique —, une tragédie doit inspirer « la terreur et la pitié », parce qu'elle doit avoir une fonction exutoire et morale : le spectacle du malheur doit soulager le spectateur de ses propres malheurs et l'inciter à agir lui-même plus moralement. C'est ce qu'Aristote nomme la *catharsis*, « purgation » en grec. Mais Corneille n'était pas sûr que ce soit dans ces deux sentiments que résidait la nature du plaisir tragique. Il affirme hardiment : « *j'ai bien peur que le raisonnement d'Aristote sur ce point ne soit qu'une belle idée, qui n'ait jamais son effet dans la vérité* » (Deuxième discours sur le poème dramatique, 1660).

2. « *Un certain frémissement* »

La vérité du spectateur, c'est l'émotion esthétique devant la beauté de l'action, la grandeur des personnages, la poésie de la langue. Corneille vise plutôt à susciter l'admiration, qui est le pendant esthétique à la morale héroïque, son mode de réception par le public. Écoutons-le se défendre avec hauteur sur ce point, à propos justement de l'invraisemblance choquante de l'entrevue entre Chimène et Rodrigue :

> Les deux visites que Rodrigue fait à sa maîtresse ont quelque chose qui choque cette bienséance de la part de celle qui les souffre ; la rigueur du devoir voulait qu'elle refusât de lui parler [...] ; mais permettez-moi de dire avec un des premiers esprits de notre siècle [l'abbé d'Aubignac], « que leur conversation est remplie de si beaux sentiments, que plusieurs n'ont pas connu ce défaut, et que ce qui l'ont connu l'ont toléré ». J'irai plus outre, et dirai que tous presque ont souhaité que ces entretiens se fissent ; et j'ai remarqué aux premières représentations qu'alors que ce malheureux amant se présentait devant elle, il s'élevait un certain frémissement dans l'assemblée, qui marquait une curiosité merveilleuse et un redoublement d'attention pour ce qu'ils avaient à se dire dans un état si pitoyable.

> Aristote dit qu'« il y a des absurdités qu'il faut laisser dans un poème, quand on peut espérer qu'elles seront bien reçues ; et il est du devoir du poète, en ce cas, de les couvrir de tant de brillant qu'elles puissent éblouir ».
> (« Examen du *Cid* », 1660)

Petit lexique de Corneille

La langue du XVIIe siècle présente certaines particularités par rapport au français d'aujourd'hui et, de plus, le langage poétique utilise un vocabulaire de convention, souvent imagé et recherché. Voici la signification de quelques mots fréquents dans le vocabulaire du *Cid*.

Les mots qui avaient un sens plus fort qu'aujourd'hui

Charme : force magique, enchantement.
Déplaisir : chagrin, tristesse.
Ennui : grand tourment.
Étonner : ébranler, frapper de stupeur (comme le tonnerre).
Étrange : extraordinaire, terrible.
Intéresser (s') : prendre parti, s'engager.
Soin : souci, inquiétude.
Triste : funeste.

Le langage imagé

Bras : le bras qui tient l'épée, la valeur guerrière.
Cœur : courage, fierté, vaillance.
Flamme(s), feu(x) : amour, passion.
Hymen, hyménée : mariage, amour conjugal.
Objet : personne aimée.
Transport : agitation, trouble.

Faux amis

Amant : personne qui aime et qui est aimée.
Amitié : amour.
Décevoir : tromper.
Déplorable : digne d'être pleuré.

Fier : cruel.
Flatter : tromper, abuser.
Générosité : caractère noble et vertueux.
Gloire : conscience de sa valeur, orgueil.
Hasard : danger.
Infamie : déshonneur.
Injure : injustice.

Groupement de textes thématique

L'amour et le devoir

LE CARACTÈRE TRAGIQUE d'une situation naît de la contradiction insurmontable où se trouve un personnage qui est sommé pourtant d'agir, donc de décider. Deux sentiments antagonistes se livrent en lui un combat violent. Pour continuer à vivre, le personnage doit nécessairement choisir et sacrifier comme la moitié de lui-même. La tragédie classique, on l'a vu, compose souvent des situations où ce sont le sentiment amoureux et la conscience du devoir qui s'opposent. C'est le moment du dilemme. La passion est alors souvent sacrifiée, parce que le personnage en question est un héros, caractérisé par sa nature « généreuse » (voir le chapitre « La morale héroïque »). Ce dépassement de soi est généralement le moment crucial de l'action tragique. Cette opposition entre devoir et amour, si elle est un thème privilégié de la tragédie, se rencontre dans d'autres genres littéraires, comme le roman ou la nouvelle, sans perdre sa dimension tragique.

Pierre CORNEILLE

Polyeucte (1642)

Dans cette pièce, qui fut l'un des plus grands succès de Corneille, Polyeucte, seigneur arménien, se convertit au christianisme et brise les idoles païennes. Arrêté par son beau-père, gouverneur de la province romaine, et condamné à mort, il refuse d'abjurer malgré les supplications de sa femme Pauline.

PAULINE

Cruel ! car il est temps que ma douleur éclate,
Et qu'un juste reproche accable une âme ingrate ;
Est-ce là ce beau feu ? sont-ce là tes serments ?
Témoignes-tu pour moi les moindres sentiments ?
Je ne te parlais point de l'état déplorable[1]
Où ta mort va laisser ta femme inconsolable ;
Je croyais que l'amour t'en parlerait assez,
Et je ne voulais pas de sentiments forcés ;
Mais cette amour si ferme et si bien méritée,
Que tu m'avais promise, et que je t'ai portée,
Quand tu veux me quitter, quand tu me fais mourir,
Te peut-elle arracher une larme, un soupir ?
Tu me quittes, ingrat, et le fais avec joie ;
Tu ne la caches pas, tu veux que je la voie ;
Et ton cœur, insensible à ces tristes appas,
Se figure un bonheur où je ne serais pas !
C'est donc là le dégoût qu'apporte l'hyménée ?
Je te suis odieuse après m'être donnée !

POLYEUCTE

Hélas !

PAULINE

Que cet hélas a de peine à sortir !
Encor s'il commençait un heureux repentir,

1. Digne d'être pleuré.

Que, tout forcé qu'il est, j'y trouverais de charmes !
Mais courage, il s'émeut, je vois couler des larmes.

POLYEUCTE

J'en verse, et plût à Dieu qu'à force d'en verser
Ce cœur trop endurci se pût enfin percer !
Le déplorable état où je vous abandonne
Est bien digne des pleurs que mon amour vous donne ;
Et si l'on peut au ciel sentir quelques douleurs,
J'y pleurerai pour vous l'excès de vos malheurs.
Mais si, dans ce séjour de gloire et de lumière,
Ce Dieu tout juste et bon peut souffrir ma prière,
S'il daigne écouter un conjugal amour,
Sur votre aveuglement[1] il répandra le jour.
Seigneur, de vos bontés il faut que je l'obtienne :
Elle a trop de vertus pour n'être pas chrétienne ;
Avec trop de mérite il vous plut la former,
Pour ne vous pas connaître et ne vous pas aimer,
Pour vivre des enfers esclave infortunée,
Et sous leur triste joug mourir comme elle est née.

PAULINE

Que dis-tu, malheureux ? qu'oses-tu souhaiter ?

POLYEUCTE

Ce que de tout mon sang je voudrais acheter.

PAULINE

Que plutôt...

POLYEUCTE

C'est en vain qu'on se met en défense :
Ce Dieu touche les cœurs lorsque moins on y pense.
Ce bienheureux moment n'est pas encor venu ;
Il viendra, mais le temps ne m'en est pas connu.

1. Pauline est une païenne, elle n'a pas la foi chrétienne.

PAULINE

Quittez cette chimère, et m'aimez...

POLYEUCTE

Je vous aime,
Beaucoup moins que mon Dieu, mais bien plus que moi-même.

PAULINE

Au nom de cet amour, ne m'abandonnez pas.

POLYEUCTE

Au nom de cet amour, daignez suivre mes pas.

PAULINE

C'est peu de me quitter, tu veux donc me séduire[1] ?

POLYEUCTE

C'est peu d'aller au ciel, je veux vous y conduire.

PAULINE

Imaginations !

POLYEUCTE

Célestes vérités !

PAULINE

Étrange aveuglement !

POLYEUCTE

Éternelles clartés !

PAULINE

Tu préfères la mort à l'amour de Pauline !

POLYEUCTE

Vous préférez le monde à la bonté divine !

1. Me détourner du droit chemin.

PAULINE

Va, cruel, va mourir ; tu ne m'aimas jamais.

POLYEUCTE

Vivez heureuse au monde, et me laissez en paix.

PAULINE

Oui, je t'y vais laisser ; ne t'en mets plus en peine.

(Acte IV, scène 3, vers 1235-1291)

Pierre CORNEILLE

Tite et Bérénice (1670)

Titus, nouvel empereur de Rome, est amoureux de Bérénice, reine orientale. Mais il craint que Rome ne refuse cette union avec une étrangère. Titus vient d'apprendre que Rome venait de donner son assentiment à ce mariage. Mais cette dernière renonce à son amour avant même qu'il ait pu lui proposer de l'épouser.

BÉRÉNICE

Rome a sauvé ma gloire en me donnant sa voix,
Sauvons-lui vous et moi la gloire de ses lois,
Rendons-lui vous et moi cette reconnaissance
D'en avoir pour vous plaire affaibli la puissance,
De l'avoir immolée à vos plus doux souhaits ;
On nous aime, faisons qu'on nous aime à jamais.
D'autres sur votre exemple épouseraient des Reines
Qui n'auraient pas, Seigneur, des âmes si romaines,
Et lui feraient peut-être avec trop de raison
Haïr votre mémoire et détester mon nom.
Un refus généreux de tant de déférence
Contre tous ces périls nous met en assurance.

TITE

Le Ciel de ces périls saura trop nous garder.

BÉRÉNICE

Je les vois de trop près pour vous y hasarder.

TITE

Quand Rome vous appelle à la grandeur suprême…

BÉRÉNICE

Jamais un tendre amour n'expose ce qu'il aime.

TITE

Mais, Madame, tout cède, et nos vœux exaucés…

BÉRÉNICE

Votre cœur est à moi, j'y règne, et c'est assez.

TITE

Malgré les vœux publics refuser d'être heureuse,
C'est plus craindre qu'aimer.

BÉRÉNICE

La crainte est amoureuse.
Ne me renvoyez pas, mais laissez-moi partir,
Ma gloire ne peut croître et peut se démentir.
Elle passe aujourd'hui celle du plus grand homme,
Puisqu'enfin je triomphe, et dans Rome, et de Rome,
J'y vois à mes genoux le peuple et le Sénat,
Plus j'y craignais de honte et plus j'y prends d'éclat,
J'y tremblais sous sa haine, et la laisse impuissante,
J'y rentrais exilée, et j'en sors triomphante.

TITE

L'amour peut-il se faire une si dure loi ?

BÉRÉNICE

La raison me la fait malgré vous, malgré moi,
Si je vous en croyais, si je voulais m'en croire,
Nous pourrions vivre heureux, mais avec moins de gloire.
Épousez Domitie, il ne m'importe plus

Qui vous enrichissiez d'un si noble refus.
C'est à force d'amour que je m'arrache au vôtre,
Et je serais à vous si j'aimais comme une autre.
Adieu, Seigneur, je pars.

(Acte V, scène dernière)

Jean RACINE
Bérénice (1670)

La tragédie de Racine date de la même année que celle de Corneille et traite exactement le même sujet. Mais Racine refuse de faire de Bérénice une héroïne « généreuse », prête à se sacrifier. C'est ici l'empereur Titus qui, après de longues hésitations, choisit de régner et de sacrifier à Rome son amour pour Bérénice. C'est une décision déchirante, qui n'est plus — comme chez Corneille — soutenue par l'héroïsme, mais imposée par le poids de la fatalité politique.

BÉRÉNICE, *en sortant.*

Non, laissez-moi, vous dis-je.
En vain tous vos conseils me retiennent ici :
Il faut que je le voie. Ah, Seigneur ! Vous voici.
Hé bien, il est donc vrai que Titus m'abandonne ?
Il faut nous séparer ; et c'est lui qui l'ordonne.

TITUS

N'accablez point, Madame, un prince malheureux.
Il ne faut point ici nous attendrir tous deux.
Un trouble assez cruel m'agite et me dévore,
Sans que des pleurs si chers me déchirent encore.
Rappelez bien plutôt ce cœur, qui tant de fois
M'a fait de mon devoir reconnaître la voix.
Il en est temps. Forcez votre amour à se taire ;
Et d'un œil que la gloire et la raison éclaire
Contemplez mon devoir dans toute sa rigueur.
Vous-même contre vous fortifiez mon cœur :

Aidez-moi, s'il se peut, à vaincre sa faiblesse,
À retenir des pleurs qui m'échappent sans cesse ;
Ou si nous ne pouvons commander à nos pleurs,
Que la gloire du moins soutienne nos douleurs,
Et que tout l'univers reconnaisse sans peine
Les pleurs d'un empereur et les pleurs d'une reine.
Car enfin, ma princesse, il faut nous séparer.

BÉRÉNICE

Ah ! Cruel, est-il temps de me le déclarer ?
Qu'avez-vous fait ? Hélas ! Je me suis crue aimée.
Au plaisir de vous voir mon âme accoutumée
Ne vit plus que pour vous. Ignoriez-vous vos lois,
Quand je vous l'avouai pour la première fois ?
À quel excès d'amour m'avez-vous amenée !
Que ne me disiez-vous : « Princesse infortunée,
Où vas-tu t'engager, et quel est ton espoir ?
Ne donne point un cœur qu'on ne peut recevoir. »
Ne l'avez-vous reçu, cruel, que pour le rendre,
Quand de vos seules mains ce cœur voudrait
dépendre ?
Tout l'empire a vingt fois conspiré contre nous.
Il était temps encor : que ne me quittiez-vous ?
Mille raisons alors consolaient ma misère :
Je pouvais de ma mort accuser votre père,
Le peuple, le sénat, tout l'empire romain,
Tout l'univers, plutôt qu'une si chère main.
Leur haine, dès longtemps contre moi déclarée,
M'avait à mon malheur dès longtemps préparée.
Je n'aurais pas, Seigneur, reçu ce coup cruel
Dans le temps que j'espère un bonheur immortel ;
Quand votre heureux amour peut tout ce qu'il désire,
Lorsque Rome se tait, quand votre père expire,
Lorsque tout l'univers fléchit à vos genoux,
Enfin quand je n'ai plus à redouter que vous.

TITUS

Et c'est moi seul aussi qui pouvais me détruire.
Je pouvais vivre alors et me laisser séduire.

Mon cœur se gardait bien d'aller dans l'avenir
Chercher ce qui pouvait un jour nous désunir.
Je voulais qu'à mes vœux rien ne fût invincible;
Je n'examinais rien, j'espérais l'impossible.
Que sais-je? J'espérais de mourir à vos yeux,
Avant que d'en venir à ces cruels adieux.
Les obstacles semblaient renouveler ma flamme.
Tout l'empire parlait; mais la gloire, Madame,
Ne s'était point encor fait entendre à mon cœur
Du ton dont elle parle au cœur d'un empereur.
Je sais tous les tourments où ce dessein me livre;
Je sens bien que sans vous je ne saurais plus vivre,
Que mon cœur de moi-même est prêt à s'éloigner;
Mais il ne s'agit plus de vivre, il faut régner.

BÉRÉNICE

Hé bien! Régnez, cruel; contentez votre gloire:
Je ne dispute plus. J'attendais, pour vous croire,
Que cette même bouche, après mille serments
D'un amour qui devait unir tous nos moments,
Cette bouche, à mes yeux s'avouant infidèle,
M'ordonnât elle-même une absence éternelle.
Moi-même j'ai voulu vous entendre en ce lieu.
Je n'écoute plus rien; et pour jamais, adieu.
Pour jamais! Ah! Seigneur, songez-vous en vous-même
Combien ce mot cruel est affreux quand on aime?
Dans un mois, dans un an, comment souffrirons-nous,
Seigneur, que tant de mers me séparent de vous?
Que le jour recommence, et que le jour finisse,
Sans que jamais Titus puisse voir Bérénice,
Sans que de tout le jour je puisse voir Titus?
Mais quelle est mon erreur, et que de soins perdus!
L'ingrat, de mon départ consolé par avance,
Daignera-t-il compter les jours de mon absence?
Ces jours si longs pour moi lui sembleront trop courts.

TITUS

Je n'aurai pas, Madame, à compter tant de jours.
J'espère que bientôt la triste renommée

Vous fera confesser que vous étiez aimée.
Vous verrez que Titus n'a pu sans expirer…

BÉRÉNICE

Ah ! Seigneur, s'il est vrai, pourquoi nous séparer ?
Je ne vous parle point d'un heureux hyménée :
Rome à ne vous plus voir m'a-t-elle condamnée ?
Pourquoi m'enviez-vous l'air que vous respirez[1] ?

TITUS

Hélas ! Vous pouvez tout, Madame. Demeurez :
Je n'y résiste point ; mais je sens ma faiblesse :
Il faudra vous combattre et vous craindre sans cesse,
Et sans cesse veiller à retenir mes pas
Que vers vous à toute heure entraînent vos appas.
Que dis-je ? En ce moment mon cœur, hors de lui-même,
S'oublie, et se souvient seulement qu'il vous aime.

BÉRÉNICE

Hé bien, Seigneur, hé bien ! Qu'en peut-il arriver ?
Voyez-vous les Romains prêts à se soulever ?

TITUS

Et qui sait de quel œil ils prendront cette injure ?
S'ils parlent, si les cris succèdent au murmure,
Faudra-t-il par le sang justifier mon choix ?
S'ils se taisent, Madame, et me vendent leurs lois,
À quoi m'exposez-vous ? Par quelle complaisance
Faudra-t-il quelque jour payer leur patience ?
Que n'oseront-ils point alors me demander ?
Maintiendrai-je des lois que je ne puis garder ?

BÉRÉNICE

Vous ne comptez pour rien les pleurs de Bérénice.

1. Pourquoi ne voulez-vous pas respirer le même air, être dans le même lieu que moi ?

TITUS

Je les compte pour rien ? Ah ciel ! Quelle injustice !

BÉRÉNICE

Quoi ? Pour d'injustes lois que vous pouvez changer,
En d'éternels chagrins vous-même vous plonger ?
Rome a ses droits, Seigneur : n'avez-vous pas les vôtres ?
Ses intérêts sont-ils plus sacrés que les nôtres ?
Dites, parlez.

TITUS

Hélas ! Que vous me déchirez !

BÉRÉNICE

Vous êtes empereur, Seigneur, et vous pleurez !

(Acte IV, scène 5, vers 1040-1154)

Jean RACINE
Mithridate (1673)

Dans cette tragédie, qui remporta un triomphe auprès du public de son époque, Racine prend à nouveau un sujet tiré de l'histoire romaine : alors que l'on croit mort le vieux roi Mithridate, ennemi juré des Romains, ses deux fils, Xipharès et Pharnace, se disputent l'amour de la jeune Monime, que leur père devait épouser. Xipharès et Monime croient pouvoir enfin partager leur amour réciproque lorsque Mithridate resurgit. Les deux amants doivent renoncer l'un à l'autre.

MONIME

Ah ! par quel soin cruel le ciel avait-il joint
Deux cœurs que l'un pour l'autre il ne destinait point ?
Car quel que soit vers vous le penchant qui m'attire,
Je vous le dis, Seigneur, pour ne plus vous le dire,

Ma gloire me rappelle et m'entraîne à l'autel[1]
Où je vais vous jurer un silence éternel.
J'entends, vous gémissez. Mais telle est ma misère.
Je ne suis point à vous, je suis à votre père.
Dans ce dessein, vous-même, il faut me soutenir,
Et de mon faible cœur m'aider à vous bannir.
J'attends du moins, j'attends de votre complaisance
Que désormais partout vous fuirez ma présence.
J'en viens de dire assez pour vous persuader
Que j'ai trop de raisons de vous le commander.
Mais après ce moment, si ce cœur magnanime
D'un véritable amour a brûlé pour Monime,
Je ne reconnais plus la foi de vos discours
Qu'au soin que vous prendrez de m'éviter toujours.

XIPHARÈS

Quelle marque, grands Dieux, d'un amour déplorable[2] !
Combien en un moment heureux et misérable !
De quel comble de gloire et de félicités,
Dans quel abîme affreux vous me précipitez !
Quoi ! j'aurai pu toucher un cœur comme le vôtre ?
Vous aurez pu aimer ? et cependant un autre
Possédera ce cœur dont j'attirais les vœux ?
Père injuste, cruel, mais d'ailleurs[3] malheureux !
Vous voulez que je fuie et que je vous évite ?
Et cependant le Roi m'attache à votre suite.
Que dira-t-il ?

MONIME

N'importe, il me faut obéir.
Inventez des raisons qui puissent l'éblouir.
D'un héros tel que vous c'est là l'effort suprême :
Cherchez, Prince, cherchez, pour vous trahir vous-même,

1. Pour y être mariée à Mithridate.
2. Digne d'être pleuré.
3. Par ailleurs.

Tout ce que, pour jouir de leurs contentements,
L'amour fait inventer aux vulgaires amants.
Enfin je me connais, il y va de ma vie.
De mes faibles efforts ma vertu se défie.
Je sais qu'en vous voyant, un tendre souvenir
Peut m'arracher du cœur quelque indigne soupir ;
Que je verrai mon âme, en secret déchirée,
Revoler vers le bien dont elle est séparée.
Mais je sais bien aussi que s'il dépend de vous
De me faire chérir un souvenir si doux,
Vous n'empêcherez pas que ma gloire offensée
N'en punisse aussitôt la coupable pensée ;
Que ma main dans mon cœur ne vous aille chercher,
Pour y laver ma honte, et vous en arracher.
Que dis-je ? En ce moment, le dernier qui nous reste,
Je me sens arrêter par un plaisir funeste.
Plus je vous parle, et plus, trop faible que je suis,
Je cherche à prolonger le péril que je fuis.
Il faut pourtant, il faut se faire violence,
Et sans perdre en adieux un reste de constance,
Je fuis. Souvenez-vous, Prince, de m'éviter,
Et méritez les pleurs que vous m'allez coûter.

(Acte II, scène 6, vers 693-746)

Mme de LAFAYETTE

La Princesse de Clèves (1678)

Ce roman raconte le combat que livre Mme de Clèves contre la passion qu'elle éprouve pour le duc de Nemours. Sans jamais céder aux avances de ce dernier, elle finit par avouer à son mari l'amour qu'elle éprouve pour un autre. Cet aveu le tue. Libre, la princesse refuse cependant d'épouser le duc de Nemours et lui explique ses raisons avant de se retirer dans un couvent.

Je crois devoir à votre attachement la faible récompense de ne vous cacher aucun de mes sentiments et de vous les laisser voir tels qu'ils sont. Ce sera apparemment la seule fois de ma vie que je me donnerai la liberté de vous les faire paraître ; néanmoins je ne saurais vous avouer, sans honte, que la certitude de n'être plus aimée de vous, comme je le suis, me paraît un si horrible malheur que, quand je n'aurais point de raisons de devoir insurmontables, je doute si je pourrais me résoudre à m'exposer à ce malheur. Je sais que vous êtes libre, que je le suis, et que les choses sont d'une sorte que le public[1] n'aurait peut-être pas sujet de vous blâmer, ni moi non plus, quand nous nous engagerions ensemble pour jamais. Mais les hommes conservent-ils de la passion dans ces engagements éternels ? Dois-je espérer un miracle en ma faveur et puis-je me mettre en état de voir certainement finir cette passion dont je ferais toute ma félicité ? [...]

Je sais bien qu'il n'y a rien de plus difficile que ce que j'entreprends, [...] ; je me défie de mes forces au milieu de mes raisons. Ce que je crois devoir à la mémoire de M. de Clèves serait faible s'il n'était soutenu de l'intérêt de mon repos ; et les raisons de mon repos ont besoin d'être soutenues de celles de mon devoir. Mais, quoique je me défie de moi-même, je crois que je ne vaincrai jamais mes scrupules et je n'espère pas aussi de surmonter l'inclination que j'ai pour vous. Elle me rendra malheureuse et je me priverai de votre vue, quelque violence qu'il m'en coûte. Je vous conjure, par tout le pouvoir que j'ai sur vous, de ne chercher aucune occasion de me voir. Je suis dans un état qui me fait des crimes de tout ce qui pourrait être permis dans un autre temps, et la seule bienséance interdit tout commerce entre nous.

(Dernière partie)

1. L'opinion publique.

Jean-Jacques ROUSSEAU

La Nouvelle Héloïse (1761)

Dans ce roman épistolaire, l'héroïne, Julie, ne peut épouser celui qu'elle aime et qui l'aime également, Saint-Preux, un simple roturier. Leur différence de condition rend impossible leur mariage, alors que les parents de Julie la destinent à M. de Wolmar.

Tel est, mon ami, le sacrifice héroïque auquel nous sommes tous deux appelés. L'amour qui nous unissait eût fait le charme de notre vie. Il survécut à l'espérance ; il brava le temps et l'éloignement ; il supporta toutes les épreuves. Un sentiment si parfait ne devait point périr de lui-même ; il était digne de n'être immolé qu'à la vertu.

Je vous dirai plus. Tout est changé entre nous ; il faut nécessairement que votre cœur change. Julie de Wolmar n'est plus votre ancienne Julie ; la révolution de vos sentiments pour elle est inévitable, et il ne vous reste que le choix de faire honneur de ce changement au vice ou à la vertu. J'ai dans la mémoire un passage d'un auteur que vous ne récuserez pas : « L'amour, dit-il, est privé de son plus grand charme quand l'honnêteté l'abandonne. Pour en sentir tout le prix, il faut que le cœur s'y complaise, et qu'il nous élève en élevant l'objet aimé. Ôtez l'idée de la perfection, vous ôtez l'enthousiasme ; ôtez l'estime, et l'amour n'est plus rien. Comment une femme honorera-t-elle un homme qu'elle doit mépriser ? Comment pourra-t-il honorer lui-même celle qui n'a pas craint de s'abandonner à un vil corrupteur ? Ainsi bientôt ils se mépriseront mutuellement. L'amour, ce sentiment céleste, ne sera plus pour eux qu'un honteux commerce. Ils auront perdu l'honneur, et n'auront point trouvé la félicité. » Voilà notre leçon, mon ami ; c'est vous qui l'avez dictée. Jamais nos cœurs s'aimèrent-ils plus délicieusement, et jamais l'honnêteté leur fut-elle aussi chère que dans le temps heureux où cette lettre fut écrite ? Voyez donc à quoi nous mèneraient aujourd'hui de coupables feux nourris aux dépens des plus doux transports qui ravissent l'âme ! L'horreur du vice qui nous est si naturelle à tous deux s'étendrait bientôt sur le complice de nos fautes ; nous nous haïrions pour nous être trop aimés, et l'amour s'éteindrait dans les remords. Ne vaut-il pas mieux épurer un sentiment si cher pour le rendre durable ? Ne vaut-il pas mieux en conserver au moins ce qui peut s'accorder avec l'innocence ? N'est-ce pas conserver tout ce qu'il eut de plus charmant ? Oui, mon bon et digne ami, pour nous aimer toujours il faut renoncer l'un à l'autre. Oublions tout le reste, et soyez l'amant de mon âme. Cette idée est si douce qu'elle console de tout.

(Troisième partie, lettre XVIII)

Groupement de textes stylistique

Le récit au théâtre

LE RÉCIT DE BATAILLE de Rodrigue (*Le Cid*, acte IV, scène 3) est un célèbre morceau de bravoure qui frappe par sa beauté poétique et sa grandeur épique. Le récit est un procédé fréquent dans le théâtre classique. Il permet de faire connaître au spectateur ce qui ne peut être représenté sur scène pour des raisons techniques, ou ne doit pas l'être pour des questions de bienséance (le théâtre classique, par opposition au théâtre baroque ou romantique, refuse de montrer des scènes de violences physiques). Le récit peut être pris en charge par un personnage secondaire, ou par le héros lui-même, qui est alors à la fois acteur et narrateur de l'événement. Comme un récit est un substitut pour « donner à voir », l'auteur doit mettre en œuvre différents procédés narratifs et stylistiques. Le choix des différents temps du passé des verbes, mais aussi le jeu avec le présent de narration, qui rend les événements plus vivants, les images qui permettent une description plus expressive, le point de vue particulier du narrateur (qui peut être effrayé, triste, admiratif etc. de ce qu'il a vécu) sont autant de moyens pour intégrer le récit au théâtre. Le récit devient donc un moment à la fois informatif, poétique et dramatique, qui produit généralement un grand effet sur le spectateur.

SOPHOCLE

Œdipe-Roi (vers 420 avant J.-C.)

(Les Belles Lettres, 1960, trad. de P. Mazon, texte établi par A. Dain, contribution de J. Irigoin)

La tragédie du Grec Sophocle (496-406 av. J.-C.) représente le destin d'Œdipe, personnage de la mythologie. Œdipe est fils de Laïos, roi de Thèbes, et de Jocaste. Laïos, averti par un oracle qu'il serait tué par son fils et que celui-ci épouserait sa mère, abandonne l'enfant dans la montagne. Devenu adulte, Œdipe se rend à Delphes pour consulter l'oracle sur le mystère de sa naissance. En chemin, une dispute l'oppose à un voyageur, qu'il tue. C'est Laïos, son père. Aux portes de Thèbes, il résout l'énigme du redoutable sphinx, dont il débarrasse ainsi le pays. En récompense, les Thébains le prennent pour roi : il épouse la reine veuve, Jocaste, sa mère. La tragédie commence ici. Mais, à la fin de la pièce, Œdipe découvre le secret de sa naissance, son parricide et son inceste. Jocaste se suicide, et Œdipe se crève les yeux. Un messager rapporte le drame au coryphée, le premier personnage du chœur, qui représente le peuple thébain.

LE MESSAGER : Un mot suffit, aussi court à dire qu'à entendre : notre noble Jocaste est morte.

LE CORYPHÉE : La malheureuse ! Et qui causa sa mort ?

LE MESSAGER : Elle-même. Mais le plus douloureux de tout cela m'échappe : le spectacle du moins t'en aura été épargné. Malgré tout, dans la mesure où le permettra ma mémoire, tu vas savoir ce qu'a souffert l'infortunée. À peine a-t-elle franchi le vestibule que, furieuse, elle court vers le lit nuptial, en s'arrachant à deux mains les cheveux. Elle entre et violemment ferme la porte derrière elle. Elle appelle alors Laïos, déjà mort depuis tant d'années; elle évoque « les enfants que jadis il lui donna et par qui il périt lui-même, pour laisser la mère à son tour donner à ses propres fils une sinistre descendance ». Elle gémit sur la couche « où, misérable, elle enfanta un époux de son époux et des enfants de ses enfants » ! Comment elle périt ensuite, je l'ignore, car à ce moment, Œdipe, hurlant, tombe au milieu de nous, nous empêchant d'assister à sa fin : nous ne pouvons plus regarder que lui. Il fait le tour de notre groupe, il va, il vient, nous suppliant de lui fournir une arme, nous demandant où il pourra trouver « l'épouse qui n'est pas son épouse, mais qui fut un champ maternel à la fois pour lui et pour ses enfants ». Sur quoi un dieu sans doute dirige sa fureur, car ce n'est certes aucun de ceux qui l'entouraient avec moi. Subitement, il poussa un cri terrible et, comme mené par un guide, le voilà qui se précipite sur les deux vantaux de la porte, fait fléchir le verrou qui saute de la gâche, se rue enfin au milieu de la pièce… La femme est pendue ! Elle est là, devant nous, étranglée par le nœud qui se balance au toit… Le malheureux à ce spectacle pousse un gémissement affreux. Il détache la corde qui pend, et le pauvre corps tombe à terre… C'est un spectacle atroce à voir. Arrachant les agrafes d'or qui servaient à draper ses vêtements sur elle, il les lève en l'air et il se met à en frapper ses deux yeux dans ses orbites. « Ainsi ne verront-ils plus, dit-il, ni le mal que j'ai subi, ni celui que j'ai causé ; ainsi les ténèbres leur défendront de voir désormais ceux que je n'eusse pas dû voir, et de connaître ceux que, malgré tout, j'eusse aimé connaître ! » Et tout en clamant ces mots, sans répit, les bras levés, il se frappait les yeux, et leurs globes en sang coulaient sur sa barbe. Ce n'était pas un suintement de gouttes rouges, mais une noire averse de grêle et de sang, inondant son visage ! Le désastre a éclaté, non par sa seule faute, mais par le fait de tous deux à la fois : c'est le désastre commun de la femme et de l'homme. leur bonheur d'autrefois était encore hier un bonheur au sens vrai du mot : aujourd'hui, au contraire, sanglots, désastre, mort et ignominie, toute tristesse ayant un nom se rencontre ici désormais ; pas une ne manque à l'appel !

(Cinquième épisode)

Pierre CORNEILLE
Horace (1640)

Ce sont les débuts de l'histoire romaine qui fournissent à Corneille le sujet de cette pièce patriotique qui, comme Le Cid, *suscita admiration et critiques. Une rivalité oppose Rome et Albe. Un combat doit décider laquelle des deux cités aura la prééminence. Rome est défendue par les trois frères Horaces, et Albe par les trois frères Curiaces. Mais le jeune Curiace est fiancé de Camille, sœur d'Horace. Le combat a lieu : Horace est le seul survivant et doit lutter seul contre les trois Curiaces : on le croit mort, mais il triomphe d'eux pourtant. Le chevalier romain Valère rapporte le combat au père et à la sœur d'Horace, désespérée d'avoir perdu son amant (Horace, furieux de la faiblesse de sa sœur, la tuera de son épée).*

LE VIEIL HORACE

Quoi, Rome donc triomphe !

VALÈRE

Apprenez, apprenez
La valeur de ce fils qu'à tort vous condamnez.
Resté seul contre trois, mais en cette aventure
Tous trois étant blessés, et lui seul sans blessure,
Trop faible pour eux tous, trop fort pour chacun d'eux,
Il sait bien se tirer d'un pas si dangereux ;
Il fuit pour mieux combattre, et cette prompte ruse
Divise adroitement trois frères qu'elle abuse.
Chacun le suit d'un pas ou plus ou moins pressé,
Selon qu'il se rencontre ou plus ou moins blessé ;
Leur ardeur est égale à poursuivre sa fuite ;
Mais leurs coups inégaux séparent leur poursuite.
Horace, les voyant l'un de l'autre écartés,
Se retourne, et déjà les croit demi-domptés :
Il attend le premier, et c'était votre gendre.
L'autre, tout indigné qu'il ait osé l'attendre,
En vain en l'attaquant fait paraître un grand cœur ;
Le sang qu'il a perdu ralentit sa vigueur.

Albe à son tour commence à craindre un sort contraire[1] ;
Elle crie au second qu'il secoure son frère :
Il se hâte et s'épuise en efforts superflus ;
Il trouve en les joignant que son frère n'est plus.

CAMILLE

Hélas !

VALÈRE

Tout hors d'haleine il prend pourtant sa place,
Et redouble bientôt la victoire d'Horace :
Son courage sans force est un débile[2] appui ;
Voulant venger son frère, il tombe auprès de lui.
L'air résonne des cris qu'au ciel chacun envoie ;
Albe en jette d'angoisse, et les Romains de joie.
Comme notre héros se voit près d'achever,
C'est peu pour lui de vaincre, il veut encor braver :
« J'en viens d'immoler deux aux mânes[3] de mes frères ;
Rome aura le dernier de mes trois adversaires,
C'est à ses intérêts que je vais l'immoler »,
Dit-il ; et tout d'un temps on le voit y voler.
La victoire entre eux deux n'était pas incertaine ;
L'Albain percé de coups ne se traînait qu'à peine,
Et comme une victime aux marches de l'autel,
Il semblait présenter sa gorge au coup mortel :
Aussi le reçoit-il, peu s'en faut, sans défense,
Et son trépas de Rome établit la puissance.

(Acte IV, scène 2, vers 1101-1140)

1. Funeste.
2. Faible.
3. L'âme des morts, dans la religion romaine.

Jean RACINE
Phèdre (1677)

La dernière grande tragédie mythologique de Racine a pour sujet l'amour coupable de Phèdre pour son beau-fils Hippolyte, fils de son mari Thésée, roi d'Athènes, que l'on croit mort. Hippolyte est amoureux d'Aricie, et éprouve une profonde horreur face à l'amour, la passion incestueuse de Phèdre. Thésée réapparaît, et Œnone, pour sauver l'honneur de sa maîtresse Phèdre, accuse Hippolyte d'aimer Phèdre. Thésée maudit son fils et le chasse. C'est dans sa fuite qu'Hippolyte périt. Son confident Théramène rapporte à la Cour le terrible récit de sa mort.

THÉRAMÈNE

À peine nous sortions des portes de Trézène[1],
Il était sur son char; ses gardes affligés
Imitaient son silence, autour de lui rangés;
Il suivait tout pensif le chemin de Mycènes[2];
Sa main sur ses chevaux laissait flotter les rênes;
Ses superbes[3] coursiers, qu'on voyait autrefois
Pleins d'une ardeur si noble obéir à sa voix,
L'œil morne maintenant, et la tête baissée,
Semblaient se conformer à sa triste pensée.
Un effroyable cri, sorti du fond des flots,
Des airs en ce moment a troublé le repos;
Et, du sein de la terre, une voix formidable
Répond en gémissant à ce cri redoutable.
Jusqu'au fond de nos cœurs notre sang s'est glacé;
Des coursiers attentifs le crin s'est hérissé.
Cependant, sur le dos de la plaine liquide[4],
S'élève à gros bouillons une montagne humide;
L'onde approche, se brise, et vomit à nos yeux,

1. Ville du Péloponnèse, où se situe l'action.
2. Ville située sur la route entre Trézène et Athènes.
3. Fiers.
4. La mer.

Parmi des flots d'écume, un monstre furieux.
Son front large est armé de cornes menaçantes ;
Tout son corps est couvert d'écailles jaunissantes ;
Indomptable taureau, dragon impétueux,
Sa croupe se recourbe en replis tortueux ;
Ses longs mugissements font trembler le rivage.
Le ciel avec horreur voit ce monstre sauvage ;
La terre s'en émeut, l'air en est infecté ;
Le flot qui l'apporta recule épouvanté.
Tout fuit ; et, sans s'armer d'un courage inutile,
Dans le temple voisin chacun cherche un asile.
Hippolyte lui seul, digne fils d'un héros,
Arrête ses coursiers, saisit ses javelots,
Pousse au monstre, et d'un dard lancé d'une main sûre,
Il lui fait dans le flanc une large blessure.
De rage et de douleur le monstre bondissant
Vient au pied des chevaux tomber en mugissant,
Se roule, et leur présente une gueule enflammée
Qui les couvre de feu, de sang et de fumée.
La frayeur les emporte ; et, sourds à cette fois,
Ils ne connaissent plus ni le frein ni la voix ;
En efforts impuissants leur maître se consume,
Ils rougissent le mors d'une sanglante écume.
On dit qu'on a vu même, en ce désordre affreux,
Un dieu qui d'aiguillons pressait leur flanc poudreux.
À travers les rochers la peur les précipite ;
L'essieu crie et se rompt : l'intrépide Hippolyte
Voit voler en éclats tout son char fracassé ;
Dans les rênes lui-même, il tombe embarrassé.
Excusez ma douleur : cette image cruelle
Sera pour moi de pleurs une source éternelle.
J'ai vu, seigneur, j'ai vu votre malheureux fils
Traîné par les chevaux que sa main a nourris.
Il veut les rappeler, et sa voix les effraie ;
Ils courent : tout son corps n'est bientôt qu'une plaie.
De nos cris douloureux la plaine retentit.
Leur fougue impétueuse enfin se ralentit :
Ils s'arrêtent non loin de ces tombeaux antiques
Où des rois ses aïeux sont les froides reliques.

J'y cours en soupirant, et sa garde me suit :
De son généreux sang la trace nous conduit ;
Les rochers en sont teints ; les ronces dégouttantes
Portent de ses cheveux les dépouilles sanglantes.
J'arrive, je l'appelle ; et, me tendant la main,
Il ouvre un œil mourant qu'il referme soudain :
« Le ciel, dit-il, m'arrache une innocente vie.
Prends soin après ma mort de la triste Aricie.
Cher ami, si mon père un jour désabusé[1]
Plaint le malheur d'un fils faussement accusé,
Pour apaiser mon sang et mon ombre plaintive,
Dis-lui qu'avec douceur il traite sa captive ;
Qu'il lui rende… » À ces mots, ce héros expiré[2]
N'a laissé dans mes bras qu'un corps défiguré :
Triste objet où des dieux triomphe la colère,
Et que méconnaîtrait l'œil même de son père.

(Acte V, scène 6, vers 1498-1570)

P. A. CARON DE BEAUMARCHAIS

Le Mariage de Figaro (1784)

La célèbre comédie de Beaumarchais retrace la « folle journée » des noces de Figaro et Suzanne, en un tableau brillant des rapports humains et sociaux. Figaro est le valet du comte Almaviva, et sa fiancée Suzanne la servante de la comtesse. Le jour de leurs noces, Figaro a surpris Suzanne qui donnait rendez-vous au comte, qui lui a fait des avances, la nuit dans le jardin. Mais c'est une ruse inventée par Suzanne pour mieux le confondre devant la comtesse, complice de Suzanne, et punir Figaro de sa jalousie. Figaro, posté au lieu du rendez-vous, se plaint, dans un monologue, de l'infidélité des femmes, et retrace l'histoire de sa vie.

1. Détrompé.
2. Qui a expiré.

FIGARO *seul, se promenant dans l'obscurité, dit du ton le plus sombre* : Femme ! femme ! femme ! créature faible et décevante !... nul animal créé ne peut manquer à son instinct ; le tien est-il donc de tromper ?... Après m'avoir obstinément refusé quand je l'en pressais devant sa maîtresse ; à l'instant qu'elle me donne sa parole ; au milieu même de la cérémonie... Il riait en lisant, le perfide[1] ! et moi comme un benêt ! Non, Monsieur le Comte, vous ne l'aurez pas... vous ne l'aurez pas. Parce que vous êtes un grand seigneur, vous vous croyez un grand génie ! noblesse, fortune, un rang, des places ; tout cela rend si fier ! Qu'avez-vous fait pour tant de biens ? vous vous êtes donné la peine de naître, et rien de plus ; du reste, homme assez ordinaire ! tandis que moi, morbleu ! perdu dans la foule obscure, il m'a fallu déployer plus de science et de calculs pour subsister seulement, qu'on n'en a mis depuis cent ans à gouverner toutes les Espagnes ; et vous voulez jouter... On vient... c'est elle... ce n'est personne. La nuit est noire en diable, et me voilà faisant le sot métier de mari, quoique je ne le sois qu'à moitié ! (*Il s'assied sur un banc.*) Est-il rien de plus bizarre que la destinée ! fils de je ne sais pas qui ; volé par des bandits ! élevé dans leurs mœurs, je m'en dégoûte et veux courir une carrière honnête ; et partout je suis repoussé ! J'apprends la chimie, la pharmacie, la chirurgie ; et tout le crédit d'un grand seigneur peut à peine me mettre à la main une lancette vétérinaire ! Las d'attrister des bêtes malades, et pour faire un métier contraire, je me jette à corps perdu dans le théâtre ; me fussé-je mis une pierre au cou ! Je broche[2] une comédie dans les mœurs du sérail ; auteur espagnol, je crois pouvoir y fronder Mahomet, sans scrupule : à l'instant, un envoyé... de je ne sais où se plaint que j'offense, dans mes vers, la Sublime Porte, la Perse, une partie de la

1. Suzanne a fait passer un billet au comte, pendant la cérémonie du mariage.
2. Écrire à la hâte.

presqu'île de l'Inde, toute l'Égypte, les royaumes de Barca, de Tripoli, de Tunis, d'Alger et de Maroc : et voilà ma comédie flambée, pour plaire aux princes mahométans, dont pas un, je crois, ne sait lire, et qui nous meurtrissent l'omoplate, en nous disant : « chiens de chrétiens » ! Ne pouvant avilir l'esprit, on se venge en le maltraitant. Mes joues creusaient ; mon terme était échu ; je voyais de loin arriver l'affreux recors[1], la plume fichée dans sa perruque ; en frémissant je m'évertue. Il s'élève une question sur la nature des richesses ; et comme il n'est pas nécessaire de tenir les choses, pour en raisonner, n'ayant pas un sol, j'écris sur la valeur de l'argent, et sur son produit net ; sitôt je vois, du fond d'un fiacre, baisser pour moi le pont d'un château fort, à l'entrée duquel je laissai l'espérance et la liberté. (*Il se lève.*) Que je voudrais bien tenir un de ces puissants de quatre jours, si légers sur le mal qu'ils ordonnent, quand une bonne disgrâce a cuvé son orgueil ! je lui dirais… que les sottises imprimées n'ont d'importance qu'aux lieux où l'on en gêne le cours ; que sans la liberté de blâmer, il n'est point d'éloge flatteur ; et qu'il n'y a que les petits hommes qui redoutent les petits écrits. (*Il se rassied.*) Las de nourrir un obscur pensionnaire, on me met un jour dans la rue ; et comme il faut dîner, quoiqu'on ne soit plus en prison, je taille encore ma plume, et demande à chacun de quoi il est question : on me dit que pendant ma retraite économique, il s'est établi dans Madrid un système de liberté sur la vente des productions, qui s'étend même à celles de la presse ; et que, pourvu que je ne parle en mes écrits, ni de l'autorité, ni du culte, ni de la politique, ni de la morale, ni des gens en place, ni des corps en crédit, ni de l'Opéra, ni des autres spectacles, ni de personne qui tienne à quelque chose, je puis tout imprimer librement, sous l'inspection de deux ou trois censeurs. Pour profiter de cette douce liberté, j'annonce un

1. Officier de justice qui accompagne l'huissier.

écrit périodique, et croyant n'aller sur les brisées d'aucun autre, je le nomme Journal inutile. Pou-ou ! je vois s'élever contre moi mille pauvres diables à la feuille ; on me supprime ; et me voilà derechef[1] sans emploi ! Le désespoir m'allait saisir ; on pense à moi pour une place, mais par malheur j'y étais propre : il fallait un calculateur, ce fut un danseur qui l'obtint. Il ne me restait plus qu'à voler ; je me fais banquier de pharaon[2] : alors, bonnes gens ! je soupe en ville, et les personnes dites « comme il faut » m'ouvrent poliment leur maison, en retenant pour elles les trois quarts du profit. J'aurais bien pu me remonter ; je commençais même à comprendre que pour gagner du bien, le savoir-faire vaut mieux que le savoir. Mais comme chacun pillait autour de moi, en exigeant que je fusse honnête, il fallut bien périr encore. Pour le coup je quittais le monde ; et vingt brasses d'eau m'en allaient séparer, lorsqu'un dieu bienfaisant m'appelle à mon premier état. Je reprends ma trousse et mon cuir anglais ; puis laissant la fumée aux sots qui s'en nourrissent, et la honte au milieu du chemin, comme trop lourde à un piéton, je vais rasant de ville en ville, et je vis enfin sans souci. Un grand seigneur passe à Séville ; il me reconnaît, je le marie[3] ; et pour prix d'avoir eu par mes soins son épouse, il veut intercepter la mienne ! intrigue, orage à ce sujet. Prêt à tomber dans un abîme, au moment d'épouser ma mère, mes parents m'arrivent à la file. (*Il se lève en s'échauffant.*) On se débat ; c'est vous, c'est lui, c'est moi, c'est toi ; non, ce n'est pas nous ; eh ! mais qui donc ? (*Il retombe assis.*) Ô bizarre suite d'événements ! Comment cela m'est-il arrivé ? Pourquoi ces choses et non pas d'autres ? Qui les a fixées sur ma tête ? Forcé de parcourir la route où je suis entré sans le savoir, comme j'en sortirai sans le vouloir, je l'ai jonchée d'autant de fleurs que ma

1. À nouveau.
2. Jeu de cartes.
3. C'est le sujet du premier volet de la comédie de Figaro, *Le Barbier de Séville.*

gaieté me l'a permis; encore je dis ma gaieté, sans savoir si elle est à moi plus que le reste, ni même quel est ce Moi dont je m'occupe : un assemblage informe de parties inconnues; puis un chétif être imbécile; un petit animal folâtre; un jeune homme ardent au plaisir, ayant tous les goûts pour jouir, faisant tous les métiers pour vivre; maître ici, valet là, selon qu'il plaît à la fortune! ambitieux par vanité, laborieux par nécessité; mais paresseux... avec délices! orateur selon le danger; poète par délassement; musicien par occasion; amoureux par folles bouffées; j'ai tout vu, tout fait, tout usé. Puis l'illusion s'est détruite, et trop désabusé... Désabusé!... Suzon, Suzon, Suzon! que tu me donnes de tourments!... J'entends marcher... on vient. Voici l'instant de la crise.

Il se retire près de la première coulisse à sa droite.

(Acte V, scène 3)

Chronologie

Pierre Corneille et son temps

1.

Corneille, auteur comique (1629-1636)

1. *Les premières pièces*

Pierre Corneille naît à Rouen en 1606. Ses études de droit n'empêchent pas le jeune avocat de s'intéresser au théâtre : le passage à Rouen de la troupe où joue le célèbre Mondory lui donne l'occasion d'écrire sa première pièce, la comédie *Mélite*, créée à Paris en 1629. Les premières années de Corneille dramaturge sont marquées par la comédie et la tragi-comédie : *Clitandre*, *La Veuve* (1631), *La Galerie du Palais* (1632), *La Place royale* (1634), *L'Illusion comique* (1636). Corneille refuse la *commedia dell'arte* italienne, où des personnages masqués improvisent sur des canevas d'intrigues bouffonnes. Il veut faire rire « sans personnages ridicules » : il puise donc son inspiration dans le roman et la pastorale, pour créer un genre élevé de comédie, où les subtiles intrigues galantes sont servies par un langage précieux. Ce faisant, Corneille rénove le théâtre et donne ses lettres de noblesse à la comédie.

2. *Une seule tragédie :* **Médée** *(1635)*

Corneille se fait connaître à Paris, où il s'établit dans le Théâtre du Marais jusqu'en 1647. Richelieu, amateur de théâtre, réunit autour de lui les meilleurs auteurs dramatiques de l'époque et forme en 1635 le « Groupe des Cinq », dont fait partie Corneille.

Ce n'est qu'avec *Médée*, inspirée de la mythologie grecque, que Corneille aborde le « grand genre » de la tragédie. Il entend rivaliser avec ses contemporains (comme Rotrou ou Mairet). Corneille imite le tragique latin Sénèque et accentue la violence et le spectaculaire : deux morts, un suicide, des personnages écorchés, lacérés, une mère qui tue ses enfants, et les prodiges d'une magicienne qui disparaît sur un char volant. C'est un Corneille baroque qui se révèle dans *Médée*.

3. **L'Illusion comique** *(1636)*

L'Illusion comique est l'aboutissement spectaculaire de la renaissance du genre comique entrepris par Corneille. Il y développe le thème du théâtre dans le théâtre (toute l'intrigue n'est en fait qu'une pièce jouée par des personnages qui en sont les acteurs) : magie, métamorphoses, mélange de la tragédie et de la comédie, jeux de miroirs, *L'Illusion comique* est un hymne à l'illusion artistique et à la vie considérée comme scène de théâtre. Corneille, dans sa dédicace, définit ainsi sa pièce : « *Voici un étrange monstre que je vous dédie. Le premier acte n'est qu'un prologue, les trois suivants font une comédie imparfaite, le dernier est une tragédie, et tout cela cousu ensemble fait une comédie. Qu'on en nomme l'invention bizarre et extravagante tant qu'on voudra, elle est nouvelle, et souvent la grâce de la nouveauté parmi nos Français n'est pas un petit degré de bonté.* »

Sous le gouvernement de Richelieu

1610	Début du règne de Louis XIII. La mort d'Henri IV, qui avait mis fin à la guerre civile entre protestants et catholiques, réveille les forces d'opposition au pouvoir royal.
1629	Le Cardinal de Richelieu devient le *principal ministre.* Il travaille à la consolidation d'une monarchie centralisée et s'impose en Europe par de nombreuses guerres. À l'intérieur, il lutte avec dureté contre les oppositions : les révoltes protestantes, les complots des aristocrates, les soulèvements populaires. Richelieu développe les arts (dont le théâtre) et les sciences.
1634	Jean Mairet écrit *Sophonisbe,* la première tragédie dite régulière, c'est-à-dire conforme à la doctrine classique.
1635	Déclaration de guerre à l'Espagne : cette guerre dure vingt-quatre ans et plonge le royaume dans la misère. Création de l'Académie française : Richelieu établit un contrôle officiel sur la littérature, par une politique culturelle et linguistique active.

2.

1637 : La Querelle du *Cid* — une rupture

1. *Une retentissante Querelle*

La Querelle autour du *Cid,* créé en janvier 1637, s'est déchaînée dès le début de l'année, à la suite de l'orgueilleux défi que Corneille lance à ses rivaux dans son *Excuse à Ariste.* La bagarre s'envenime, après échange de multiples pamphlets, jusqu'à des menaces physiques sur la personne de Corneille, qui manquera d'être bastonné à Rouen. Les « troubles » s'apaisent en octobre, sur une intervention impérieuse de Richelieu. Dès le mois de juin, Richelieu a saisi de l'affaire l'Académie, après avoir obtenu le consentement forcé de Corneille. Richelieu a sans doute moins voulu humilier le poète qu'affirmer l'autorité de l'institution qui était son œuvre. Les *Sentiments de l'Académie sur le Cid* sont rendus en décembre. Corneille aurait voulu répliquer, mais le risque de fâcher le Cardinal l'en dissuade. En 1639, l'écrivain Chapelain écrit : « *Corneille est ici depuis trois jours : il ne fait rien... Je l'ai, autant que j'ai pu, réchauffé et encouragé à se venger en faisant quelque nouveau* Cid. *Mais il ne parle que de règles et que des choses qu'il aurait pu répondre aux académiciens.* »

2. *Évolution des grandes tragédies (1639-1652)*

En 1639, Corneille termine une nouvelle tragédie : *Horace.* Mais il hésite ; il consulte Chapelain, qui condamne le dernier acte. *Horace* est représenté devant Richelieu, puis donné en lecture aux doctes, qui condamnent le dénouement. Corneille hésite encore mais maintient son dénouement. La pièce n'est présentée au public qu'en mai 1640. Corneille est plus soucieux, plus raidi dans ses décisions artistiques, et c'est une des conséquences de la Querelle, ainsi que de l'évolution générale du siècle vers plus de rationalisme, de moralisme et de discipline. Horace est un héros extrêmement dur, surhumain jusqu'à l'inhumanité.

En 1641 paraît *Cinna ou la clémence d'Auguste,* qui glorifie la magnanimité du grand empereur romain capable de pardonner aux amis qui ont comploté contre lui. La clémence est la vertu des rois, pareille à la grâce divine.

Cette tragédie de l'État correspond à la mythologie royale qui s'est peu à peu affirmée et qui triomphera sous le règne de Louis XIV, ce « nouvel Auguste ». Puis en 1643, c'est *Polyeucte*, tragédie chrétienne (voir Groupement de textes thématique). Corneille s'impose désormais comme le plus grand auteur tragique.

De 1644 à 1652, de *La Mort de Pompée* à l'échec de *Pertharite*, les pièces de Corneille relèvent plus d'une inspiration romanesque que de la tragédie historique et classique. C'est que Corneille renonce peu à peu à divers éléments :

— L'inspiration historique : il préfère des sujets historiques obscurs qu'il peut modifier et réinventer librement.

— La réflexion politique : les intrigues politiques sont prétextes à une action complexe et impressionnante plus qu'à une réflexion idéologique.

— Le sacrifice héroïque : le héros n'est plus déchiré par la contradiction entre la « gloire » et l'amour, mais ils les concilient avec aisance (*Nicomède*, 1651).

— La vraisemblance : l'extraordinaire et l'inattendu dominent. Corneille écrit même une « tragédie à machines », *Andromède* (1650), où les « effets spéciaux » abondent.

Le temps de la Fronde

1637	René Descartes publie le *Discours de la Méthode* et fonde le rationalisme classique en philosophie.
1643	Mort de Louis XIII. Le nouveau roi Louis XIV n'a que cinq ans. Sa mère Anne d'Autriche et le cardinal Mazarin (successeur de Richelieu) assurent la Régence. Le gouvernement est contesté de toutes parts.

1648	Début de la Fronde. C'est ainsi que l'on nomme la révolte du Parlement, puis des princes, contre le gouvernement. C'est une période de troubles où le pouvoir royal et Mazarin sont sérieusement menacés.
1651	Échec de la Fronde. Le Parlement et les princes sont soumis par Mazarin qui restaure l'autorité royale. Le souvenir de la Fronde marquera le jeune roi, qui s'attachera à réduire parlementaires et aristocrates à l'impuissance en établissant une monarchie absolue.
1659	Molière fait jouer *Les Précieuses ridicules* devant le roi.

3.

Le dernier Corneille (1660-1674)

1. *Les écrits théoriques et la consécration*

En 1660 paraissent les trois volumes du *Théâtre de Corneille revu et corrigé par son auteur*; chacun est précédé d'un *Discours sur le poème dramatique.* Corneille y affirme hautement son art poétique, avec un esprit d'indépendance et une assurance marqués. Nouant une sorte de dialogue théorique avec le seul Aristote, n'hésitant pas à le contester, dédaignant les autres théoriciens pour en faire une interprétation personnelle, Corneille se présente comme un Sophocle français, maître incontesté du genre tragique. D'autres querelles éclatent autour de ses pièces (*Sophonisbe*) mais Corneille n'y répond plus personnellement, car il a des défenseurs et le succès pour lui. Corneille est édité en 1663, de son vivant, en deux volumes *in-folio,* format réservé généralement aux grands classiques.

2. *L'ascension de Racine*

Un jeune auteur fait représenter par Molière deux tragédies nouvelles, *La Thébaïde* (1664) et *Alexandre le Grand* (1666) : Jean Racine (1639-1699). Son ascension sera rapide : joué à Paris puis à la Cour, il deviendra en une dizaine d'années l'auteur tragique le plus aimé du roi, et le plus important du Grand Siècle. Il a en commun avec Corneille de dénier toute autorité aux théoriciens, et il méprise le formalisme des règles classiques. Il en dégagera pourtant l'esprit dans sa manifestation la plus pure, mais ce sera en prônant le seul plaisir esthétique du spectateur, contre l'exemple moral réclamé par les doctes. C'est une ère nouvelle qui s'ouvre pour la tragédie : Racine, en voulant imiter Corneille avec lequel il veut rivaliser, prend cependant avec fermeté ses distances à l'égard de son modèle.

Le combat singulier a lieu en 1670 : ce n'est pas un hasard si *Bérénice* de Racine et *Tite et Bérénice* de Corneille sont représentées la même année (voir Groupement de textes thématique). Très vite se créent deux partis adverses, et les défenseurs du « vieux Corneille » (il a soixante-cinq ans) ne sont pas moins nombreux que ceux du nouveau génie. Mais Corneille ne s'y est pas trompé : la tragédie de Racine, faite d'une action très mince, soutenue par les seuls sentiments des personnages, correspond mieux désormais à la sensibilité du temps, moins réceptive à l'héroïsme qu'à la complexe subtilité des passions humaines.

3. *Les dernières pièces*

La capacité d'adaptation de Corneille, après quarante ans de carrière, est admirable. Ses dernières tragédies sont basées sur de fines analyses du sentiment amoureux. Cette thématique renouvelée, plus sentimentale, renvoie au pathétique plutôt qu'au sublime : la « gloire » et l'héroïsme ne peuvent plus dissimuler le malheur des êtres, que la fatalité de l'histoire et de la politique vient broyer. *Suréna*, l'œuvre ultime (1674), est le chant du cygne de Corneille. Elle n'a pas obtenu le succès qu'elle mérite auprès de ses contemporains : huis-clos pathétique, elle est une tragédie de la séparation et du désenchantement héroïque : le destin des amants est de « *toujours aimer, toujours souffrir, toujours mourir* » (acte I, scène 3, v. 268).

Consacrant les dernières années de sa vie à la poésie officielle et à la traduction, Corneille a été un moment écarté des sphères du pouvoir puis honoré à nouveau comme sa carrière le méritait (sa pension est rétablie par le roi). En 1682 encore, année de sa mort, la plupart de ses tragédies sont rejouées avec succès. Racine aura été un rival de taille, mais il aura été le seul.

Le règne de Louis XIV

1661 Début du règne personnel de Louis XIV. À la mort de Mazarin, Louis XIV entend gouverner seul. Il fait arrêter le surintendant Fouquet pour malversation : grand seigneur, fervent protecteur des arts, Fouquet inspire au roi de la jalousie. Désormais, le roi sera le seul autorisé à soutenir sa gloire par les arts et le culte de la personnalité. Il adopte le symbole du Roi-Soleil.

1665-1669 La Fontaine publie les premiers livres des *Fables*, Molière fait jouer *Dom Juan, Tartuffe, le Misanthrope, l'Avare*, Racine fait jouer *Andromaque, Britannicus*.

1678 Paix de Nimègue (fin de la guerre de Hollande). La puissance française est à son apo-

	gée. Louis XIV s'impose à toute l'Europe comme le modèle du souverain et résiste même à l'autorité du pape. Mme de la Fayette écrit *La Princesse de Clèves.*
1682	La Cour s'installe à Versailles. Le château devient le symbole de la monarchie. La Cour y évolue autour du roi selon un rituel strict (l'étiquette). Louis XIV durcit son autorité et impose une morale sévère. Les protestants sont persécutés (révocation de l'édit de Nantes en 1685) et l'art officiel très surveillé.

Éléments pour une fiche de lecture

Regarder le tableau

- Trouvez dans un livre sur le peintre Titien ou sur internet *Charles Quint à la bataille de Mühlberg* : quelles sont les ressemblances et les différences avec le portrait peint par Rubens ?
- Plusieurs éléments accentuent l'idée que le cheval et son cavalier sont au centre du tableau : lesquels ?
- Quelle est la couleur dominante du tableau ? Expliquez et justifiez ce choix.
- Comment le peintre donne-t-il l'impression de mouvement ?
- Diriez-vous du tableau qu'il donne une idée de majesté ? Expliquez.

Comprendre l'intrigue

- Pour quelles raisons Don Diègue demande-t-il à son fils Rodrigue de le venger ?
- Pourquoi Rodrigue hésite-t-il d'abord à venger son père ?
- Quelles décisions Chimène prend-elle à la mort de son père le Comte ?

- Par quel moyen Rodrigue se fait-il pardonner son crime par le Roi ?
- Quel moyen Chimène trouve-t-elle pour continuer à aimer Rodrigue sans perdre son honneur ?
- Par quel moyen le Roi parvient-il à justifier la possibilité d'un mariage entre Rodrigue et Chimène ?

Comprendre les personnages

- Quelles sont les caractéristiques du code de l'honneur défendu par la génération des pères, Don Diègue et le Comte ? Comment cette conception s'impose-t-elle à leurs enfants, Rodrigue et Chimène ?
- Quel est le point commun dans la situation de la génération des enfants : Rodrigue, Chimène, l'Infante ? Quelle est leur conception de l'amour ?
- Comment Chimène et Rodrigue parviennent-ils à s'exprimer leur amour, malgré le conflit qui les oppose ?
- Quel rôle joue le Roi dans l'action de la pièce ?

Comprendre la langue et le style de Corneille

- En vous appuyant sur le « Petit lexique de Corneille » (p. 152), vous relèverez les champs lexicaux de l'honneur et de l'amour. Quelles images (comparaisons, métaphores) sont fréquemment employées ?
- Après en avoir rappelé le sens au XVIIe siècle et chez Corneille en particulier, vous relèverez, au fil du texte, les nombreux emplois des termes « générosité, généreux » et « gloire, glorieux ». Vous étudierez comment ces notions servent l'argumentation des personnages.
- Qu'est-ce qui distingue les vers de la scène 7, acte I et

la scène 2, acte V de ceux employés dans tout le reste de la pièce ? Quel effet produit cette différence ? Pourquoi Corneille choisit-il ces deux scènes pour varier la forme du vers ?

- Certains vers pourraient être utilisés comme des « proverbes » qui expriment une vérité générale (on appelle ces vers des sentences, il y a en beaucoup dans le théâtre classique). Exemple : « L'amour n'est qu'un plaisir, et l'honneur un devoir » (v. 1069). Trouvez tout au long de la pièce d'autres phrases de ce type (leur longueur ne doit pas dépasser deux vers).

Écriture

- Écrire un dialogue : Rodrigue refuse de se battre en duel avec le comte, par amour pour Chimène. Imaginez et rédigez le dialogue entre le père et le fils, les arguments de Rodrigue et les réactions de Don Diègue.
  Consigne : il n'est pas nécessaire de rédiger ce dialogue en vers, mais vous serez attentifs à utiliser autant que possible le vocabulaire de Corneille (vous pourrez vous aider de vos réponses aux questions 1 et 2 de « Comprendre la langue et le style de Corneille »).
- Écrire une lettre : l'Infante écrit une lettre à Rodrigue pour lui déclarer son amour, et lui expliquer toutes les raisons qui l'obligent à renoncer à lui (même consigne).
- Écrire un récit : Elvire, la suivante de Chimène, assiste à l'entrevue entre Chimène et Rodrigue à la scène 4 de l'acte III. Elle décide d'en faire le récit au Roi.

Consigne : le spectateur n'a pas vu la scène. Vous devrez trouver les moyens de rendre le récit vivant, par la description des sentiments, des gestes, du ton des deux personnages.

Collège

Combats du 20e siècle en poésie (anthologie) (161)
Fabliaux (textes choisis) (37)
Gilgamesh et Hercule (217)
La Bible (textes choisis) (49)
La Farce de Maître Pathelin (146)
La poésie sous toutes ses formes (anthologie) (253)
Le tour du monde en poésie (anthologie) (283)
Le Livre d'Esther (249)
Les Quatre Fils Aymon (208)
Les récits de voyage (anthologie) (144)
Mère et fille (Correspondances de Mme de Sévigné, George Sand, Sido et Colette) (anthologie) (112)
Poèmes à apprendre par cœur (anthologie) (191)
Poèmes pour émouvoir (anthologie) (225)
Schéhérazade et Aladin (192)
ALAIN-FOURNIER, *Le grand Meaulnes* (174)
Jean ANOUILH, *Le Bal des voleurs* (113)
Marcel AYMÉ, *Les contes du chat perché* (6 contes choisis) (268)
Marcel AYMÉ, Ray BRADBURY, Dino BUZZATI, *3 nouvelles sur le temps* (240)
Honoré de BALZAC, *L'Élixir de longue vie* (153)
Henri BARBUSSE, *Le Feu* (91)
Joseph BÉDIER, *Le Roman de Tristan et Iseut* (178)
Henri BOSCO, *L'Enfant et la Rivière* (272)
John BOYNE, *Le Garçon en pyjama rayé* (279)
Lewis CARROLL, *Les Aventures d'Alice au pays des merveilles* (162)
Blaise CENDRARS, *Faire un prisonnier* (235)

Lycée

Série Classiques

DANS LA MÊME COLLECTION

Encyclopédie ou *Dictionnaire raisonné des sciences, des arts et des métiers* (textes choisis) (142)
La poésie baroque (anthologie) (14)
La poésie de la Renaissance (anthologie) (271)
La poésie symboliste (anthologie) (266)
Dire l'amour (anthologie) (284)
Les grands manifestes littéraires (anthologie) (175)
Le sonnet (anthologie) (46)
Le Sport, miroir de la société ? (anthologie) (221)
L'intellectuel engagé (anthologie) (219)
Nouvelles formes du récit. Anthologie de textes des 50 dernières années (248)
Paroles, échanges, conversations, et révolution numérique (textes choisis) (237)
Guillaume APOLLINAIRE, *Alcools* (238)
Honoré de BALZAC, *La Peau de chagrin + Ces objets qui nous envahissent… Objets cultes, culte des objets* (anthologie) (11)
Honoré de BALZAC, *La Duchesse de Langeais* (127)
Honoré de BALZAC, *Le roman de Vautrin* (Textes choisis dans *La Comédie humaine*) (183)
Honoré de BALZAC, *Le Père Goriot* (204)
Honoré de BALZAC, *La Recherche de l'Absolu* (224)
Jules BARBEY D'AUREVILLY, Prosper MÉRIMÉE, *Deux réécritures de Don Juan* (278)
René BARJAVEL, *Ravage* (95)
Charles BAUDELAIRE, *Les Fleurs du Mal* (17)
Charles BAUDELAIRE, *Le Spleen de Paris* (242)
BEAUMARCHAIS, *Le Mariage de Figaro* (128)
BEAUMARCHAIS, *Le Barbier de Séville* (273)

DANS LA MÊME COLLECTION

Marguerite DURAS, *La douleur* (212)
Marguerite DURAS, *La Musica* (241)
Paul ÉLUARD, *Capitale de la douleur* (126)
Paul ÉLUARD, MAN RAY, *Les Mains libres* (256)
Annie ERNAUX, *La place* (61)
Marie FERRANTI, *La Princesse de Mantoue* (262)
Gustave FLAUBERT, *Madame Bovary* (33)
Gustave FLAUBERT, *Écrire* Madame Bovary *(Lettres, pages manuscrites, extraits)* (157)
André GIDE, *Les Faux-Monnayeurs* (120)
André GIDE, *La Symphonie pastorale* (150)
E. T. A. HOFFMANN, Jules JANIN, Honoré de BALZAC, Hector BERLIOZ, George SAND, *6 moments musicaux* (289)
Victor HUGO, *Hernani* (152)
Victor HUGO, *Mangeront-ils ?* (190)
Victor HUGO, *Pauca meae* (209)
Victor HUGO, *Hugo orateur* (anthologie) (285)
Eugène IONESCO, *Rhinocéros* (73)
Eugène IONESCO, *Macbett* (250)
Philippe JACCOTTET, *À la lumière d'hiver* (222)
Sébastien JAPRISOT, *Un long dimanche de fiançailles* (27)
Alfred JARRY, *Ubu roi* (291)
Charles JULIET, *Lambeaux* (48)
Franz KAFKA, *Lettre au père* (184)
Maylis de KERANGAL, *Corniche Kennedy* (282)
Eugène LABICHE, *L'Affaire de la rue de Lourcine* (98)
Eugène LABICHE, *La Dame aux jambes d'azur* (277)
Jean de LA BRUYÈRE, *Les Caractères* (24)
Madame de LAFAYETTE, *La Princesse de Clèves* (39)
Madame de LAFAYETTE, *La Princesse de Montpensier* (287)

Georges PEREC, *Quel petit vélo à guidon chromé au fond de la cour ?* (215)
Luigi PIRANDELLO, *Six personnages en quête d'auteur* (71)
Francis PONGE, *Le parti pris des choses* (170)
Abbé PRÉVOST, *Manon Lescaut* (179)
Marcel PROUST, *Du côté de chez Swann* (246)
Raymond QUENEAU, *Zazie dans le métro* (62)
Raymond QUENEAU, *Exercices de style* (115)
Pascal QUIGNARD, *Tous les matins du monde* (202)
François RABELAIS, *Gargantua* (21)
Jean RACINE, *Andromaque* (10)
Jean RACINE, *Britannicus* (23)
Jean RACINE, *Phèdre* (151)
Jean RACINE, *Mithridate* (206)
Jean RACINE, *Bérénice* (228)
Raymond RADIGUET, *Le Bal du comte d'Orgel* (230)
Rainer Maria RILKE, *Lettres à un jeune poète* (59)
Arthur RIMBAUD, *Illuminations* (193)
Edmond ROSTAND, *Cyrano de Bergerac* (70)
SAINT-SIMON, *Mémoires* (64)
Nathalie SARRAUTE, *Enfance* (28)
Jorge SEMPRUN, *L'Écriture ou la vie* (234)
William SHAKESPEARE, *Hamlet* (54)
William SHAKESPEARE, *Macbeth* (259)
William SHAKESPEARE, *Roméo et Juliette* (292)
SOPHOCLE, *Antigone* (93)
SOPHOCLE, *Œdipe Roi + Le mythe d'Œdipe* (anthologie) (264)
STENDHAL, *La Chartreuse de Parme* (74)
STENDHAL, *Vanina Vanini et autres nouvelles* (200)
STENDHAL, *Le Rouge et le Noir* (296)
Michel TOURNIER, *Vendredi ou les limbes du Pacifique* (132)

Paul VALÉRY, *Charmes* (294)
Vincent VAN GOGH, *Lettres à Théo* (52)
VOLTAIRE, *Candide ou l'Optimisme* (7)
VOLTAIRE, *L'Ingénu* (31)
VOLTAIRE, *Micromégas* (69)
Émile ZOLA, *Thérèse Raquin* (16)
Émile ZOLA, *L'Assommoir* (140)
Émile ZOLA, *Au Bonheur des Dames* (232)
Émile ZOLA, *La Bête humaine* (239)
Émile ZOLA, *La Curée* (257)
Émile ZOLA, *La Fortune des Rougon* (297)

Série Philosophie

Notions d'esthétique (anthologie) (110)
Notions d'éthique (anthologie) (171)
ALAIN, *44 Propos sur le bonheur* (105)
Hannah ARENDT, *La Crise de l'éducation* extrait de *La Crise de la culture* (89)
ARISTOTE, *Invitation à la philosophie (Protreptique)* (85)
Walter BENJAMIN, *L'œuvre d'art à l'époque de sa reproductibilité technique* (123)
Émile BENVENISTE, *La communication*, extrait de *Problèmes de linguistique générale* (158)
Albert CAMUS, *Réflexions sur la guillotine* (136)
René DESCARTES, *Méditations métaphysiques* – « 1, 2 et 3 » (77)
René DESCARTES, *Des passions en général*, extrait de *Les Passions de l'âme* (129)
René DESCARTES, *Discours de la méthode* (155)
Denis DIDEROT, *Le Rêve de d'Alembert* (139)
Émile DURKHEIM, *Les règles de la méthode sociologique* – « Préfaces, chapitres 1, 2 et 5 » (154)

DANS LA MÊME COLLECTION

ÉPICTÈTE, *Manuel* (173)

Michel FOUCAULT, *Droit de mort et pouvoir sur la vie*, extrait de *La Volonté de savoir* (79)

Sigmund FREUD, *Sur le rêve* (90)

Thomas HOBBES, *Léviathan* – « Chapitres 13 à 17 » (111)

David HUME, *Dialogues sur la religion naturelle* (172)

François JACOB, *Le programme* et *La structure visible*, extraits de *La logique du vivant* (176)

Emmanuel KANT, *Des principes de la raison pure pratique*, extrait de *Critique de la raison pratique* (87)

Emmanuel KANT, *Idée d'une histoire universelle au point de vue cosmopolitique* (166)

Étienne de LA BOÉTIE, *Discours de la servitude volontaire* (137)

G.W. LEIBNIZ, *Préface aux Nouveaux essais sur l'entendement humain* (130)

Claude LÉVI-STRAUSS, *Race et histoire* (104)

Nicolas MACHIAVEL, *Le Prince* (138)

Nicolas MALEBRANCHE, *La Recherche de la vérité* – « De l'imagination, 2 et 3 » (81)

Marc AURÈLE, *Pensées* – « Livres II à IV » (121)

Karl MARX, *Feuerbach. Conception matérialiste contre conception idéaliste* (167)

Maurice MERLEAU-PONTY, *L'Œil et l'Esprit* (84)

Maurice MERLEAU-PONTY, *Le cinéma et la nouvelle psychologie* (177)

John Stuart MILL, *De la liberté de pensée et de discussion*, extrait de *De la liberté* (122)

Friedrich NIETZSCHE, *La « faute », la « mauvaise conscience » et ce qui leur ressemble (Deuxième dissertation)*, extrait de *La Généalogie de la morale* (86)

Friedrich NIETZSCHE, *Vérité et mensonge au sens extra-moral* (139)
Blaise PASCAL, *Trois discours sur la condition des Grands* et six liasses extraites des *Pensées* (83)
PLATON, *La République* – « Livres 6 et 7 » (78)
PLATON, *Le Banquet* (109)
PLATON, *Apologie de Socrate* (124)
PLATON, *Gorgias* (159)
Jean-Jacques ROUSSEAU, *Discours sur l'origine et les fondements de l'inégalité parmi les hommes* (82)
SAINT AUGUSTIN, *La création du monde et le temps* – « Livre XI, extrait des *Confessions* » (88)
Baruch SPINOZA, *Lettres sur le mal* – « Correspondance avec Blyenbergh » (80)
Alexis de TOCQUEVILLE, *De la démocratie en Amérique I* – « Introduction, chapitres 6 et 7 de la deuxième partie » (97)
Simone WEIL, *Les Besoins de l'âme*, extrait de *L'Enracinement* (96)
Ludwig WITTGENSTEIN, *Conférence sur l'éthique* (131)

Composition Interligne
Impression Novoprint
à Barcelone, le 20 juin 2019
Dépôt légal : juin 2019
1er dépôt légal dans la collection : mars 2004

ISBN 978-2-07-031375-4/Imprimé en Espagne.

356833